MIURA AYAKO LITERATURE MUSEUM
三浦綾子記念文学館

手から手へ～三浦綾子記念文学館復刊シリーズ⑤

残像　上

三浦綾子

残像　上　もくじ

カバーデザイン　齋藤玄輔

女の影

女の影

真木弘子が、その女性西井紀美子を見たのは、その日が最初で最後であった。

日暮には少し間があったが、弘子は二階の自分の部屋のカーテンを閉めようとして、降る雪に目をとめた。羽毛のように軽い雪が、漂うようにゆっくりと、しかし次々と地に降ってくる。長いまつ毛を上げて、弘子は空を見あげた。灰色の、低く垂れこめた空の、どこから雪は降ってくるのだろう。雪は、すぐ軒先のあたりで、湧き出るように現われて見えるのだ。

昨日までは青かった向いの草原や笹藪も、今日はすっかり白い雪に覆われている。笹藪の右隣の広い空地に疎らに立っているヤチタモやクルミの木、そしてナラの木立も、枝々に雪をのせて日本画のように美しい。

真木弘子の家は、札幌市手稲宮ノ沢にあった。この弘子の家のあたりから、遠く石狩の野に向ってなだらかな斜面が北にひらけ、限りなく家並がつづいていた。いつもは遠くまで見えるその家並が、今日は降る雪の中にかすんで、二百メートル先もおぼろである。

まだ十一月、この雪は二、三日で融《と》けるだろうと思いながら、弘子はふと家の前の道に目をやった。茶と白のチェックの半オーバーを着た、グレイのパンタロンスタイルの若い女性が、妙におずおずと真木家に近よって来るのが、窓下のナナカマドの梢越しに見えた。手には小さなバッグを持っただけのその女の姿が、なぜか弘子の心をひいた。女は門に近づくと、雪がかかっているのか、その門標を黒い手袋をはめた手でなでた。通りから八メートル程引っこんだ真木家の玄関を、女はのぞきこむようにしてから、やはりおずおずと、庭の間の道を入ってくるのが見えた。が、ふと女は立ちどまった。立ちどまって上を見た女の顔が、二階から見おろしている弘子の顔と合った。そのとたん、なぜか女は顔をそむけた。と思うと、くるりと背を向け、さっさと門を出て隣家のほうへ曲って行った。

(変な人だわ)

確かに女は、この真木家を訪ねてきたにちがいない。それなのに、なぜ自分の顔を見て、逃げるように帰って行ったのだろう。もしかしたら、新米の生命保険か化粧品のセールスかも知れない。いや、あれはセールスではない。門標を確かめてから、門の中に入ってきたではないか。一体わが家の、誰に用事があってきたのだろう。弘子は首をかしげながら、水玉模様のエプロンをつけて階下に降りて行った。

「今日はおでんですから、何もすることはないのよ」

リビングキッチンに降りて行った弘子に、母親の勝江は背筋を大きく伸ばして、自分の肩を叩きながらいった。

「ああ、そうだったわね」

今日は日曜日で、朝のうちに母に手伝って、おでんの煮込みの用意をしたのだった。十二畳の居間には、茶色のソファが、敷きつめられたグリーンのカーペットの上に重々しく置かれてある。父親の洋吉は、カラーテレビの相撲に目をやったまま、

「ほう、今夜はおでんか」

と、いつものように機嫌のよい声でいった。少し背は丸くなったが、髪は黒々としていて、顔の色つやもいい洋吉は、五十五歳という年齢より、五つ六つは若く見えた。三つ年下の勝江のほうが、びんに白髪が見え、夫より少し大柄なせいか、時折年上に見られていた。

「ね、お母さん」

いいかけて弘子は口を閉じた。妙な若い女性が、家に入りかけて途中から帰っていったと告げたとしても、母の勝江は何の関心も示さないにちがいない。勝江は、テレビや新聞で残虐な殺人事件や、大きな飛行機事故を見たり読んだりしてさえ、少しも驚かず、同情も示さない女だった。家事には熱心で、料理も上手だった。花なども、いつも見事に活け

こんではいるが、何か一つ欠けたものが母にはあると、常々弘子は思っていた。

やがて、夕食の時間になり、弘子に呼ばれて、弘子の兄たち、栄介と不二夫が二階から降りてきた。栄介は食卓にすわると、和服の袖からウイスキーの角ビンを出して、自分の目の前においた。ちらりとその角ビンに目をやった洋吉は、鼻の頭をちょっとこすって、手酌で銚子を盃に傾けた。

「おいしいね、この大根」

不二夫が素直に声をあげた。再び洋吉が鼻をこすった。これが洋吉のいらいらした時か、不満な時の癖であることに気づいているのは、繊細な次男の不二夫一人であった。他の人間はみな、洋吉という人間はいつも機嫌がいいと、決めこんでいるようであった。

「そうお。不二夫は一番味がわかるわね」

料理をほめられた時だけは、さすがに勝江の無表情な顔が、僅かにほころぶのだ。

「なあに、おでんなんか、馬鹿でも作れるさ」

グラスに氷を入れながら、栄介は鼻先で笑った。もう、そんな栄介の言葉に驚くものは、誰もいなかった。

「ダシさえよければ、あとはとろ火で、一日でも二日でも、時間をかけて煮ればいいだけの話だろう」

「ほう、栄介は男のくせに、料理のことに詳しいんだね。しかしねえ、栄介。お母さんの作るおでんには、心がこもっているからねえ」

洋吉の語調に、弘子はいらいらした。

(お父さんがいけないいんだわ。何も栄介兄さんの機嫌をとることなんか、ないのに)

四十になるかならぬうちに、中学校長になった洋吉は、いつも事なかれ主義であった。わが家に口論さえなければ、それが無事であり、平和であると思いこんでいる父を、弘子は安手な教育者だと、内心不満に思っていた。この家では、真剣な対話も、心暖まる対話も、ほとんどないのだ。

「不二夫兄さん。ガンモもおいしいわよ」

結局は、自分もこんなことしかいっていないのだと自嘲しながら、弘子は不二夫の皿にガンモを取ってやった。その意味では、人の心に刺さるような栄介の言葉が、一番本当のもののようにも弘子には思われた。

(でも、栄介兄さんには、いくら本当のことをいっても、決して何のプラスにもならないのだわ)

「栄介、そのウイスキーはうまいかい」

本当は、そのウイスキーを飲ませてくれと、洋吉はいいたかったのだ。

「ああ、うまいですよ」

大学を出て、商事会社につとめてから、もう六年にもなろうというのに、栄介は金輪際人に物をやるということを知らない男なのだ。但し人から物をもらうことだけは知っている。

不二夫は、その兄の姿を、少年の頃からよく知っていた。例えばこんなことがあった。近所の友だち五、六人と、手稲の山に遊びに行った夏のことだった。不二夫が中学一年、栄介が中学三年の夏休みだった。登山口にかかる前に、栄介はふもとの小さな店で、アンパンを数個買った。山の途中まで登った頃、みんなはひどく腹がすいた。沢水のちょろちょろ流れ落ちる傍で、

「ひと休みしよう」

と栄介がいって、持っていた紙袋の口をガサガサと音を立ててあけた時、誰もが栄介からパンをもらえるにちがいないと期待した。だが栄介は、誰にもパンをやらずに、一人でうまそうに食べはじめた。誰も弁当を持ってはいない。もともと、手稲の山に登るつもりで家を出たわけではない。遊んでいるうちに、誰いうとなく、近くのこの山に登ってみようということになったのだ。

「栄ちゃん、ぼくにもパンをくれないか」

こらえかねたように、小学五年の子が汗ばんだ手を出した。

「パンをくれって？　どうして？」

「だって、ぼく、おなかペコペコだもん」

　暑い日に照らされて、その子は半ベソをかいていた。

「なんで、ぼくのパンをお前にやらなきゃならないんだ。ぼくはね、このパンを自分の金で買ったんだぜ。金を出すんなら、売ってやってもいいよ」

「じゃ買うよ」

「ぼくも買う」

　みんなは口々にいったが、誰も金を持ってはいなかった。

「なあんだ。誰も金を持っていないのか。じゃ、みんな家に帰ったら、二十五円必ず持ってくるんだぞ」

「二十五円!?　栄ちゃん、そのパン十五円で買ったんじゃない？」

　先程の五年生の子が、口を尖《とが》らせた。

「二十五円出すのがいやなら、やめたらいいよ。十五円で買ったものを、十五円で売ったって、何の得にもならないからね」

　紙袋の口を閉じようとする栄介に、少年たちは不承不承、二十五円払う約束をした。

帰りに、栄介は不二夫にいった。

「金はな、こうやってもうけるもんだぞ。需要と供給の原理というのを、学校で習っただろ」

栄介は得意だった。だが不二夫は、兄が哀れだった。僅か五、六十円の金と引換に、兄は友情を失ってしまったのだ。以来不二夫は、手稲の山を見上げる度に、その時のことを思い出さずにはいられなくなった。

「栄介、お前は……」

いいよどんで、洋吉は盃を飲み干し、そしていった。

「お前もそろそろ、嫁をもらわなきゃならないんじゃないかね。もう二十八だろう」

「そうですよ、あなた」

栄介の答える前に、勝江が眉をひそめるようにして、うなずいた。

「ぼくは、結婚なんかしませんよ」

「なぜだね」

黙ってコンニャクを食べている不二夫のほうに、ちらりと視線を投げかけてから、洋吉は栄介を見すえるように見た。

「お前が結婚しなきゃ、後がつかえるよ」

「不二夫たちが結婚したきゃ、勝手にすればいいんですよ。女なんて、ぼくにいわせると不経済なしろものですよ。一人分の食費で間に合うところが、二人分になる。人の出入りも多くなるし、女の親だの兄弟だの、親戚がぞろぞろ出入りされちゃ、無駄金も使いますからね」

「そりゃお前、人間はこの世に一人で生きていけるものじゃないからね」

「だからといって、つきあいたくもない人間と、つきあわされるのはごめんですよ」

「呆れたわ、栄介兄さんったら。じゃ、天涯孤独の女の人と結婚したらいいじゃないの」

栄介は人より少し赤い唇を、ぺろりとなめて皮肉に笑った。

「弘子、女という奴はね、子供を生むしろものなんだよ」

「あたり前じゃないの。いやねえお兄さん」

「いやなのは女だよ。子供なんか生まれてしまえば、いやでも着せなきゃならない。食べさせなきゃならない。おまけに学校にやらなきゃならない」

洋吉と弘子の視線がすばやくかち合い、そして離れた。

「だけど兄さん、ぼくらだって、生んでもらって生きているんですからね」

不二夫は、茶色のカーディガンのボタンを外しながら、いつものようにとげのない口調でいった。

「それは別問題さ。とにかくぼくにとっては、子供を生んだり、買物好きだったりする女どもは、不経済な存在の一語に尽きるんだ」

「なあるほど。じゃ、お前は何よりも金が大事というわけか」

小さい時から、妻の勝江に輪をかけて、どこか欠落している栄介に、今更何をいっても無駄なことを洋吉は知っていた。

「もちろんですよ、お父さん。金以外に、何が一体信用できるんです？　金さえ出せば、まちがいなくほしい物が手に入りますよ」

「そうかね、金でほしい物が手に入るかね。わたしはまた、金で買えないものがほしい人間なので ね」

「だけどさお父さん。金で買えないものが、本当に手に入りましたか。思ったようには入らないでしょう。お父さんのように、いくら愛想をふりまいて生きてきたって、本当の話、三人と心をゆるす友だちがいるか、どうか。仲のいいつもりの友人だって、陰でどんなことをいってるか、わかったものじゃないでしょう」

「何をくだらないことを、ぐずぐずいってるんですよ。それより、早くお酒を切り上げて、ごはんにしてくださいよ」

からになった自分の皿を片づけながら、勝江は立ち上った。栄介は無視して、

「ね、お父さん。お父さんは、おじいさん譲りの大きなリンゴ園のおかげで、思わぬ大金が

ころがりこんだわけですよね。でもその金の使い方を何も知っちゃいない。この百坪の土地に、ちょっとした家を建てただけで、あとは後生大事に不二夫の銀行に預けている。ま、不二夫は勤め先にいい顔ができるだろうが、全く情ない話ですよ。ぼくなら、せめてマンションでも作って、高値で分譲するところですがね」

洋吉は鼻先をしきりにこすっている。片手を懐に、栄介はウィスキーを一口飲んで、

「ね、おやじさん。宅地ブームで握った金は、五千万はくだらないでしょう。黙って遊ばせておけば、金の価は下るばかりですよ。おやじさんが金をうまく働かせてくれたら、その三倍や五倍の金は、ぼくたちに残せるはずですがねえ」

金の話をする時の栄介の目には、どこか残忍な光さえあると、弘子は思った。

「お父さん、お金なんかわたしたちに残すことはないわよ。ね、不二夫兄さん」

「じゃ、ぼくだけが頂くよ。ありがたい」

栄介は、いかにも人を小馬鹿にした顔をした。

「本当に栄介、お前には好きな女のひとがいないのかねえ」

話題を変えようとした洋吉に、

「女というものは、遊ぶ対象であっても、好きになる対象じゃありませんよ。ぼくの好きなのは金だけだ」

と、栄介は笑った。

「かわいそうに、栄介兄さんはハートを忘れて生まれてきたのね」

軽蔑をこめた弘子の一言を、栄介は顔色も変えずに受けとめていった。

「ああ、ハートを忘れて生まれてきて、全くしあわせだったよ。くだらぬ女に迷わされるということはないからね」

その時、玄関のブザーが鳴った。立ち上って弘子が玄関に出た。ドアをあけると、門灯の下にいた青ざめた女が、脅えたように目を見ひらいて弘子を見た。

「あら……先程の」

二階の窓から見た女だと気づいて、弘子はとっさに言葉が出なかった。

「あの……わたし、西井紀美子と申しますけど、真木栄介さんのお宅でしょうか」

「ええ、栄介はわたしの兄ですけど」

ドアを大きくあけて、玄関の中に招じ入れながら、この女は先程から、もう二時間以上もこの雪の中をうろうろしていたにちがいないと、弘子はその寒そうな女の顔を見やった。

「あの、お目にかかれるでしょうか」

「少々、お待ちくださいませ。すぐ兄をよんでまいります」

その、少々お待ちくださいませ、といった自分の言葉の中に、日頃ＨＫＳ放送局で受付をしている時の職業的な響きはなかったかと、弘子は相手を思いやるまなざしで、もう一度西井紀美子と名乗る女性を見た。自分と同じく、二十二、三の年頃と思われた。

「栄介兄さん、西井紀美子さんって、若い女のお客さまよ」

栄介の前に立った弘子は、若い女という所に力をこめて取り次いだ。栄介の一文字の眉がぴくりと動いた。

「西井紀美子？　いないといってほしいな」

「そんな、お兄さん、いるといったのよ」

「いると思ったが、いなかったということだってあるだろう。そんなことぐらいうまく応対ができないで、よく放送局の受付が勤まるなあ」

依然として片手を懐手にしたまま、栄介はグラスに口をつけた。

「だってお兄さん。あの方は三時間以上も、入ろうか入るまいかと、この辺をうろうろしていたらしいのよ」

一時間多くいって、弘子は西井紀美子のために、栄介の同情を買おうとした。

「おれは、あの女に会いたくないんだ。しつこくってね。とにかく女というのは、おれは嫌いなんだ」

「嫌いでも何でもいいわよ。男らしくないわね。お兄さん断わっていらして」

弘子はとても玄関に出て行く気がしなかった。だが栄介は、一向に立とうとはしない。勝江は何も聞かなかったように、片づけた食器から洗いはじめた。

「まあいい。お前が会いたくないんなら、お父さんが会おう」

洋吉が盃をおいて静かに立ち上った。

栄介はウイスキーのグラスを持ったまま、立ち上った父の洋吉をじろりと見上げてから、にやりと笑った。片頬に深いたてじわが彫ったようにくっきりと現われ、それが栄介を妙に凄味のある顔に見せた。

「お父さん、あんたが西井紀美子に会ってどうするんです」

「どうするって栄介、話を聞いてあげるよ」

「ま、おすわんなさい。どうせあの子のいうことはわかってるんです」

「わかっているって、お前……。とにかく話ぐらいは聞いてあげるほうがいいだろう」

おだやかにいって洋吉は、ドアのほうに歩きかけた。

「お父さん、紀美子は妊娠三か月なんだ。いや、もう四か月かな。それで彼女、結婚してくれと、わけのわからぬことをいうにきまってるんですよ」

「何だって!? 妊娠三か月? 本当か、栄介!」

ぎょっとしたようにふり向いた洋吉の顔に狼狽の色があった。

「何をそんなに驚いているんです。ぼくにだって、女に子供を生ますことぐらいはできますよ」

食卓の上を拭いていた弘子の手がとまった。弘子は兄の栄介を見つめた。不二夫は、青ざめた顔で、ソファにすわったまま、兄を見ようともしなかった。

「とにかく、入っていただこう。な、栄介」

洋吉は栄介の気持を害ねないように、優しくいった。その父の顔を、眉をひそめた弘子がいらいらと見た。

「何も家の中に入れることはありませんよ。ま、仕方がない。ぼくが話をつけますよ」

栄介はグラスに残っていたウイスキーをあおると、相変らず片手をふところに入れたまま立ち上った。

威嚇するように、乱暴にドアをあけて、栄介は玄関に出て行った。と、たちまち栄介の大きな声が、閉め残したドアの僅かな隙間から聞えてきた。

「何しに来た！」

ハッと弘子は、洋吉を見た。不二夫の傍に腰をおろした洋吉は、しきりに鼻をこすっている。

息をひそめるようにして、弘子は玄関のほうに耳を傾けた。女が何かいう声が、とぎれとぎれに聞えた。

「ふん、……しかしね、誰の子かわかりゃしない話だろう。それとも、たしかにぼくの子供だという証拠でもあるのかい」

人を小馬鹿にしたような栄介の言葉に、弘子がたまりかねていった。

「ひどいわ、栄介兄さんったら！　お父さん、お父さんはなぜどなりつけてあげないのよ」

洋吉は聞えないかのように、目を宙にすえたまま返事をしない。

女がまた何かいい、栄介の低くおさえた声がしている。灯の下に誰もがじっと耳をすましているその時、背を向けて食器を拭いていた母親の勝江が、

「よく降る雪だねえ。根雪になるのかしら」

と、窓ガラスに舞う雪を見て、何事もないかのようにのんびりといった。何となく弘子はぞっとして、食卓の前に立ちすくんだ。

ソファの隅に、まるで誰かにおしつけられたようにすわっている不二夫が、悲しそうに、澄んだ目を母に向けた。

女の声が泣いているように、時々途切れた。ふいに栄介の笑う声がした。栄介が二言三言、何かいった。玄関のドアが開き、そしてしまる気配がした。

栄介がニヤニヤしながら、部屋に戻ってきた。

「帰ったのか」

洋吉はほっとしたように、栄介を見上げた。

「ああ、帰りましたよ」

栄介は突っ立ったまま、父親を見おろした。

「何といって帰したのかね」

タバコを口にくわえた洋吉に、不二夫がすぐ、テーブルの上のライターを取って近づけた。

「結婚してくれなければ死ぬというから、死にたければ、死んだらいいだろうと、いってやっただけですよ」

つまらなさそうに栄介はあごをなでた。

「何!?　死ぬって？　栄介、そんな……お前大変じゃないか」

「なあに、死ぬ死ぬといって、死んだ女はいませんよ。去年も一人、あんな女がいましてね。死ぬというから勝手にしろといったら、やはり死にゃしませんでしたよ。ほかの男とさっさと結婚しましたよ。ま、女なんて、そんなものです」

ゆっくりと洋吉の向いに腰をおろして、栄介は足をくんだ。和服の裾が乱れて、くろぐろとした毛ずねがむき出しになった。

「そうですよ、あなた。人間なんて、そんなものですわ」

お茶を運んできた勝江は、先ず洋吉の前に茶碗をおきながらいった。

「しかしね、栄介。わたしは教育者だからね。息子のお前が、そんなに女をもてあそんだとあっては、世間に顔向けがならない。わたしは、お前も不二夫も品行方正だと思って、安心していたんだがねえ……」

不二夫のそばにきて、柿の皮をむいていた弘子が、ふと顔をあげた。父の言葉に、引っかかるものを感じたのだ。あの女性に同情を示していたとばかり思っていたのに、実は父は何の痛みもあの女性に感じていなかったのではないか。そんなふうに弘子には思われた。父は、世間に顔向けがならないとはいったが、相手の女性に申し訳ないとはいわなかった。自分の立場と、世間体だけが父親は大事なのではないか。むいた柿を、父の前の皿に置いて、弘子は父の顔を再び見た。

柔和ないつも微笑しているような細い目、整った鼻筋、男にしては少し小さいが上品な口もと。それは確かに見るからに立派な人品を思わせる顔立ちではある。世間の人がよく父を人格者だという。しかし、その言葉がきょうほど弘子にとって白じらしく思われたことはなかった。

「大丈夫ですよ、お父さん。世間にしっぽをつかまれるようなへまは、ぼくはしませんよ。こっちからは電話もかけなければ、手紙もむろん書かない。それに、めったに街の中だって歩きませんよ。女なんかとは」

「そうかね。しかし、もう女には手を出さんことだな」

「それは無理だな、お父さん」

「あら、お兄さん。さっき、お兄さんは女なんか好きにならないって、いったじゃない？ それなのに、妊娠させたりして……」

「ばかだな弘子。妊娠させるということは、即ち女が好きだということじゃないぜ。ぼくは生理的欲求で女を抱くだけだ。好きになどならんよ、一度もね」

平然といって、栄介はウイスキーの瓶を持ち、二階に上って行った。

「不潔！」

そういった弘子を栄介はふり返らなかった。

「弘子、栄介は正直なんですよ。男って、ほとんど栄介みたいじゃないのかしら。男って、好きじゃない女でも、行きずりの女でも、少々年まの女でも、女でさえあれば、かまわないところがあるのよ。ねえ、あなた」

勝江は無表情にいって、柿を食べてぬれた唇をなめた。不二夫が、悲しそうに自分を見つめていることにも、勝江は一向に気づかぬふうである。洋吉が、たばこの火をもみ消し、また不安そうに鼻の先をこすった。漂っているたばこの煙を追い払うように、弘子はちょっと手をふると、テラスのほうに寄って行って金色の重いカーテンを細くあけた。庭の水銀灯の光の及ぶところだけ、降る雪が白い羽虫のように漂っていた。

二、三日降りつづいて、根雪になるかと思われた雪も、昨日からの思わぬ暖気に、今日はほとんど融けてしまった。弘子はＨＫＳテレビ局の、よく拭きこまれた受付の窓から、向いの北海道庁の庭を眺めていた。

雪の下から、絵具を塗ったような、青々とした芝生が再び現われ、白い粉をまいたように、僅かに雪が残っている。その芝生や、アララギの植込の向うに、道庁の赤レンガの建物が半分だけ見えた。

短大を出、テレビ局につとめて三年になる。受付という仕事は、意外に複雑で、頭も心もつかわねばならぬ仕事だった。この仕事に、弘子はやり甲斐を感じていた。自分の応待ひとつで、訪れてくる人々に、ささやかな喜びでも与えることができるのだ。疲れた顔で訪ねてきた人が、弘子のやさしい応対に、忽ち晴れやかな笑顔を見せてくれることさえあって、受付とはいっても、それは決して小さな仕事とは、思われなかった。ある訪問客にとっては、受付の弘子の印象が即ち、ＨＫＳテレビ局の印象ともなるのだ。

自動ドアがあいて、いま、三、四歳の子供を連れた母親たちが三人、きょろきょろとあたりを見廻し乍《なが》ら入ってきた。今日午後から放送される種痘の後遺症問題に出場する親子たちだと、弘子は一目でわかった。

「いらっしゃいませ。種痘の……番組にご出演下さる方々でいらっしゃいますね。きょうはご苦労さまでございます」

物馴れぬ様子の母親たちに、にこやかに頭を下げた弘子は、ディレクターの今野から言われていた控室を、ていねいに告げた。

「あの、控室のすぐ左隣がトイレになって居りますので……」

子供を連れた母親たちに、トイレの場所を教える心づかいも忘れなかった。子供たちが、弘子に手をふって、母親に手を引かれて右手に曲って行った。

あと、十分ほどで十二時になる。ひる休みは、守衛の松木が代ってくれることになっている。窓の外を行く若い女性たちのグリーンや赤など色とりどりのオーバー姿に目をやり乍ら、弘子は思うともなく、雪の日の西井紀美子の蒼ざめた顔を思っていた。

あのおどおどした様子には、人ずれのしない、小心な性格が感じられた。

(死にたければ死ぬがいいなんて……)

兄の栄介の冷酷な言葉を、弘子は思い浮かべた。時折、栄介が若い女性と歩いているのを、見かけたこともないではなかった。女文字の分厚い封書が栄介宛に来ていたこともある。

だが、栄介を訪ねてきた女性は、西井紀美子がはじめてであった。

兄は、それらの女性にも、もしかしたら紀美子に対するような冷酷さで、傷つけてきたのではないだろうか。またしても、やりきれない気持になって、弘子は紀美子のおずおずと訪ねてきた時の姿を思った。

「真木くん」

突然呼ばれて顔を上げると、窓口にディレクターの今野が、ちょっと背を屈めるように立っていた。

「あら」

「ひるだよ、食事に行かないか」

「でも、種痘の番組があるんでしょう?」

「いや、あれは森さんがやる。ぼくは、ちょうど今日はあいているよ」

「じゃ、行くわ。ちょっと待って下さる?」

今野がひきしまった横顔を見せてうなずいた。時々、今野は昼食に弘子を誘ってくれた。一見、ぶっきら棒だが、今野には何か誠実な感じがあって、局の中の男性では、一番親しくしていた。

守衛室の松木に交替を頼み、うすいブルーのオーバーを着て、弘子は外に出た。

「あら、今野さん、オーバーは？」

白いタートルネックに茶の背広を着た今野は、

「いい天気だよ、きょうは」

と、目を細めて、空を見上げた。札幌には珍しく風もなく、明日からは十二月とは思えないあたたかい日ざしであった。

サラリーマンで賑わう、ひる休みの街を、二百メートルほど行ったホテルの地下食堂に二人は入った。この地下は、中華食堂と和食堂に分れていた。

「どっちへ行く」

階段をおり乍ら、今野は弘子をふり返った。

「和食堂の方がいいわ。今野さんは？」

「ぼくは、どっちでもいい」

今野は両手をズボンのポケットに入れたまま、和食堂に入って行った。

店内はサラリーマンたちで、混んでいた。二人はテレビの据えてある、すぐ近くの席に向い合ってすわった。

磯辺きしめんを二つ注文してから、今野はそれが癖の、少し目を細めるようにして、弘子の顔をじっと見ていた。

「なあに？　今野さん」

「いや、べつに……。十一月も今日で終りですね。ぼくのクラスに十一月三十日生まれの、凄く頭のいい男がいたな」

そういったが、今野はやはり弘子から視線を外らさなかった。

「いやよ。そんなに、ごらんになっては」

弘子は頬を両手にはさんだ。今野は、やっと視線をテーブルの上に落したが、すぐにまた真正面から弘子をみつめたまままいった。

「実はね、ぼくと君とは、一体何なのだろうと思ってね」

「何って……お友だちじゃない？」

「友だちか。なるほどね」

今野は灰皿の上のマッチを手にとって眺めた。

「だって、お友だちでしょ？　わたしたち。ちがうかしら」

自分自身に確かめるように弘子はいった。さほどハンサムではないが、浅黒い男らしい顔が魅力的で、その誠実さと共に、弘子には好感の持てる男性であった。

「実はね、昨日帰ったら、おふくろが見合の写真をぼくに見せてね」

「あら、どんな方？」

「興味があるの？　真木君」

「あるわよ。もしかしたら、あなたと結婚なさるかも知れない方ですもの」

「………」

再び、弘子の顔をじっとみつめてから、今野はいった。

「丸顔の目の大きい、ちょっと君に似たかわいい子だよ。だがね、ぼくには、そんなことはどうでもいいんだ。ぼくは、昨日、その子の写真を見ながら、ふっと真木君のことを思ったんだ。俺と真木君は一体何なのだろうとね」

思わず弘子は目をふせた。今まで、弘子は今野を単なる親しい男の友だち以上に、考えたことがなかったような気がする。その今野が、いま何かをいおうとしているのだ。

「真木くん、君には、ぼくより親しいボーイフレンド……いやだな、このボーイフレンドという言葉は……。とにかく、ぼくより親しい男の友だちがいるの？」

「いないわ」

はっきりと答えて、弘子は目を上げた。黒いまつ毛が、つけまつ毛のように長い。弘子は今野の頭ごしに、テレビに目をやった。ラーメンのコマーシャルをしている男の子の、両手を大きくひらいて、驚いている顔がうつっていた。

「じゃ、ぼくが一番親しいというわけだね」

コマーシャルの男の子をみつめたまま、弘子はうなずいた。小豆色の無地の和服を着た少女が、きしめんを運んできた。

「とにかく、それじゃ、安心した。もし、君に恋人がいたらなんて考えて、へんに寝つかれなくなってしまってね」

「きしめんが、冷えるわよ、今野さん」

「きしめんが冷えるか、なるほど」

つぶやくようにいって、今野はきしめんに箸をつけた。その今野のちょっとかなし気な様子を眺めながら、弘子は今野と一生こうして、差し向いで食事をして行く自分を思ってみた。

「君、ぼくをきらいじゃないことは、確かだと自惚れてもいいんだろうね」

「ええ、きらいじゃないわ。好きよ」

「そうか。好きとあっさり言える質のものらしいな」

今野はちょっと苦笑して、きしめんを食べた。そして、すぐに緊張した表情で今野は、

「真木くん」

と顔を上げた。今野の頭ごしにテレビの画面を見ていた弘子の顔に、驚きの色が、さっと走った。思わず、今野はうしろを振向いてテレビを見た。

民放のニュースの時間だった。HKSのアナウンサーの、歯切れのよい声がひびいている。

その顔がすぐに消え、

「真駒内泉町の西井紀美子さん（二十三歳）」

という字が写った。

「紀美子さんの自殺の原因は、その遺書から、失恋であることがわかりました」

アナウンサーの顔が再び写った。

「知ってる人?」

蒼白になった弘子は、何もいわずに呆然と画面をみつめていた。既にテレビには冬の登別温泉旅館の広告が、うつっていた。

脅やかすように風がうなっている。家を揺り動かす程に風がつき当り、バラバラとガラス戸を叩く霰《あられ》まじりの雪の音が激しかった。まだ七時半だというのに、家の疎らなこのあたりは、深夜のように車も通らない。

「風が出て来たな」

洋吉は誰にともなくつぶやいた。

「いやですね。もう一時間も前から吹いていますよ」

じゅうたんの上にべったりとすわって、自分のショールを編んでいた妻の勝江は、横目で洋吉の顔を見た。

「弘子はおそいな」

栄介と不二夫は既に二階に上っている。

「おそくなっても、迷子になる年じゃありませんからね」

勝江は、編む手を休めずにいう。勝江の生活には一分一秒の無駄もない。いつも何かをしている。電話をかけながらも、首を曲げたり、指を動かしたり、体操をしている。結婚してからかれこれ三十年、勝江はお産の時以来、床についたこともない。

(丈夫な奴だ!)

時々、洋吉は、心の中で、吐き出すようにつぶやくことがある。この妻の弱々しい姿を見たことがない。健康な妻でありがたいと思いながらも、心のどこかにいまいましさが残っている。

そう思う洋吉自身も、健康なのだ。それでも三年に一度ぐらいは、下痢をしたり、風邪を引いたりすることはある。

「しかし、吹雪になると、車が動かなくなるからね」

「大丈夫ですよ。国道はいつもブルドーザーが、除雪してますからね」

国道から三百メートルほど入った所に真木家はある。

「交通事故ということもあるよ。お前という奴は、誰が遅くなっても、心配をしたことのない奴だな」

「わたしは、心配なんてしませんよ。心配したって、しなくたって、物事はなるようにしかなりませんからね」

「どうも、お前という人間は、わしにはわからん」

わからんといいながら、面白そうに、洋吉は妻の顔をみた。

洋吉と勝江は見合結婚だった。勝江は洋吉より体格がよかった。洋吉が師範学校を出て小学校の教師をしていた二十六歳の秋だった。勝江は二十三歳だった。髪を内巻にカールした、少し面長な色の白い娘だった。その頃のほとんどの人たちが、一度の見合で結婚するか否かを決めたように、洋吉たちも一度で決めた。

見合をして二か月経って結婚した。見合の時も、勝江はしおらしく、うつむいたりはしなかった。そんな勝江を明朗だと思って結婚したが、勝江は明朗という性格ともちがっていた。

そんなことを思いながら、洋吉は、ベージュ色のショールを編んでいる勝江の顔を見た。

「おい、今日は何日だ?」

「十二月十日ですよ」

　素っ気なくいって、勝江はカレンダーを見た。

「何だ、勝江、今日は結婚記念日じゃないか」

「あら、そうでしたかね」

　勝江は感激のない顔でいった。

「お前という奴は……心配もしなければ、喜びもしない。感動のない女だねえ」

「だって、今日は何十年前に結婚した日だとか、初めて会った日だとか思ってみても、一銭にもなりませんからね。わたしは、記念日ぐらいつまらないものはないと思いますよ。いくら思い出したって、若い日に帰れるわけじゃなし、記念日だけ喜んでみたって、仲よくなるわけじゃなし……」

「そうかねえ」

「そうですよ」

　洋吉は持っていた新聞をたたんだ。新聞がガサガサと音を立てた。

「栄介も困った奴だ」

　自殺した西井紀美子のことが、ふと心に浮かんで、洋吉はいった。勝江は返事をしなかった。その勝江をちょっと見て苦笑した洋吉は、

「テレビでも見るか」

と、ひとりごとをいった。勝江は小さなあくびをした。その時、玄関のブザーが鳴った。

「弘子かな」

「弘子がブザーを押すわけはありませんよ」

勝江はもう一度あくびをし、髪の中に指を突っこみ、二、三度ポリポリと頭をかいて玄関に出て行った。

玄関に男の声がした。すぐに勝江が戻ってきた。

「あなた、こういう方たちですよ」

勝江は三枚の名刺をさし出した。

〈啓北大学文学部教授　西井市次郎〉

はじめの一枚を見て、さっと洋吉の顔色が動いた。いつもは微笑しているような細い目が、ちかりと光った。

〈西井治〉

これは、肩書きがなく、勤務先の生命保険会社が記されている。最後の一枚をみた洋吉の目が更に光った。そこには、

〈北海新聞学芸部　志村芳之〉

という文字があった。

「どうします？　あなたと栄介にお会いしたいんですって」

「これはまずいな」

名刺を見つめたまま、洋吉は不安そうに時計を見た。既に八時を廻っていた。人を訪問する時刻にしてははずれている。それだけに、この訪問の重大さが暗示されているようであった。

「とにかく、会わなければならないだろう。すぐ客間に案内しなさい。それから栄介を呼んできて……」

「あなた、栄介はあなたが呼んでくださいよ」

いい捨てて、勝江は再び玄関に出て行った。

洋吉は落ちつきなく、二、三度部屋の中を行ったり来たりしてから、大きく溜息をつくと二階に上って行った。上って右側が弘子、左側が不二夫、そしてつき当りが栄介の部屋だった。弘子の部屋だけが暗い。二階に上ると風の音が一段と激しかった。廊下の天井にはめこまれた小さな四角い電灯の下で、洋吉は再び溜息をついた。

「何だ、おやじさんか」

ノックをして戸をあけた洋吉に、栄介は椅子に腰をかけたまま、ふりむいてつまらなそうにいった。

八畳の和室に黄色のカーペットを敷き、洋机と黒いステレオが並べられてある。本らしい本はなく、机の上の本立に何冊か雑誌が並んでいるだけだった。その代り大小の瓶がぎっしりと並んだ洋酒棚が、壁の一割を占めていた。

「何だじゃないよ、栄介。お前に客がきているんだ」

「客？　どこの誰ですか、今頃」

「西井紀美子の父親たちらしい」

「西井紀美子の？」

さすがに栄介は、一瞬おしだまった。

「ああ、どんな関係か、新聞記者なども一緒にきているんでね」

「ふーん」

栄介は、長く伸ばした小指の爪で、耳の穴をほじった。

「とにかく、客間に顔を出さなければならないだろう」

「何しにきたんだろうなあ、一体」

「さあ、何しに見えたかわからんが、三人もそろって、こんな時間に突然やってきたのだからね。かなり重要な話できたんじゃないかな」

「重要な話か」

椅子の上に片ひざを立てて、栄介はさもいやな顔をした。

幼い時から、栄介はわがままな、傲岸な性格だった。客がきても、めったにおじぎをすることがなく、いつも客のほうに足を投げ出していた。そのために、幾度か洋吉に殴られたこともあった。

だが、栄介のわがままは、なおるどころかますますひどくなっていった。高校に入った頃から、洋吉は栄介を殴ることも、口うるさくいうこともできなくなった。何かいわれるとすぐ、栄介は大声で反抗するようになったからである。教育者の家庭が、大声でわめき合う場所になってはならない。洋吉は、少々のことは目をつむっても、家の中はおだやかにしたかった。その洋吉の弱みにつけこんで、栄介はいいたいことをいい、したいことをした。

不二夫とは対照的な性格だと、洋吉はいつも思う。不二夫がたしか六歳の頃、こんなことがあった。不二夫が玩具のトラックに石ころをつんで、庭で遊んでいた。そこに二歳年上の栄介がきて、

「何だ、こんなもの」

と、いきなり、トラックを蹴とばした。不二夫はびっくりして兄を見ていたが、何もい

わずに砂場のほうに行って、おとなしく砂を掘りはじめた。するとたちまち、栄介はその砂場に入りこんで、不二夫のつくった山を蹴ちらした。そんな栄介に不二夫は一切逆らわず、りんごの木の下に立って、砂を蹴ちらす兄の姿を眺めていた。

たまたま廊下から、この二人の様子を見ていた洋吉は、栄介を殴りつけ、かなりきびしく叱ったが、その後もこれに似たことは幾度もくり返された。同じ親から生まれ、同じ家に育ちながら、こんなにもちがった性格の二人を見ていると、洋吉は教育というものに、深い疑問を抱かずにはいられなかった。

「赤い花は赤く咲く」

時々洋吉はそんなことを思った。教育も環境も、結局は素因素質というものを変えることができないような気がした。

「重要な話にちがいないね」

「面倒だな。おれは会いたくないですよ、おとうさん」

「それは困るよ。今日のところは、おとなしく会ったほうがいいんじゃないか」

「ごめんだなあ。第一、こっちの都合もたしかめずにやってきて、すぐに会いたいなんて、勝手じゃないですか」

都合をたしかめる電話がきたら、きっと栄介は逃げだしていたにちがいない。なるほど、紀美子の親たちが前もって電話をかけてこなかったのは、一つの方法だと洋吉は思った。

「どんなつもりで会いにきたか、わからないんだからね。おかあさんが、いると答えたのに、急にいないともいえないだろう」

「全くうちの奴らときたら、気がきかないんで困る。おれがあの女に会いたくなかったことを、この間の夜でよくわかった筈なのになあ。まして紀美子の父親なんかに会いたいわけはないじゃないですか」

「そうか、お前にも苦手があったのかね」

「なに、苦手なんかありませんよ」

栄介は心外そうにいい、

「じゃ、仕方がない。会いますか」

といった。だが、一向に椅子から立とうとしない。

「あまり待たしても何だから、すぐに用意をしなさい」

促す洋吉に、栄介は笑って、

「どうです、お父さん。代りに不二夫に出てもらったら」

「不二夫に？」

「どうせ、誰も不二夫を知りゃしませんからね。あいつをこのぼくだと思ってくれても、かまわんでしょう」

「馬鹿なことをいってる時ではない」

「きょうだいだもの、いいでしょう。不二夫なら、人にさからわずに、うまくやりますよ」

洋吉はまたかと思った。栄介は傲岸でありながら、卑劣なのだ。自分は何ひとつ責任を負おうとはしない。それは、したいことを勝手にしている人間特有の感覚なのだ。

「とにかく、冗談はさておいて、降りて行こうじゃないか」

相手にせずに、洋吉はドアをあけた。

「ちぇっ、仕様がないな」

仕方なさそうに栄介も椅子を離れた。

「いいかね。栄介。どんな魂胆できているか、わからないからね。おとなしく、礼儀正しく会うんだよ」

階段を降りかけて、洋吉はうしろの栄介に小声でいった。

「わかりませんよ、それは。ぼくは気の長い性分じゃないですからね」

階下におりると、勝江がお茶をいれていたが、栄介を見ても、何ともいわなかった。

「どんな奴らです、お母さん」

「栄介みたいな人たちですよ」

にこりともせずに、勝江は答えた。

型通りの挨拶のあと、紀美子の悔みをのべ、お互いの紹介が終ると、しばし、ぎこちない沈黙が流れた。ひとしきりガラス戸に吹きつける風の音がした。紀美子の父も兄も、そして従兄もテーブルに目をやったままだった。

「今夜は、ちょっとふぶきますなあ」

何かいわねばならぬと思いながら、さすがに洋吉も、ふだんのように如才のない口のきき方はできなかった。

「はあ、でも、さっきより大分おだやかになったようです」

紀美子の従兄だという新聞記者の志村芳之が、油気のない髪をかきあげながらいった。謹厳そうな父親、やや陰気に見える兄とくらべると、志村が一番好感の持てる男のように洋吉には思えた。

「実は……今日は紀美子の、三七日《みなのか》でして……」

どんな用かともいい出しかねていた時、紀美子の父親の西井市次郎が顔を上げ、おもむろに口をひらいた。

「はあ、もう早……そんなに……」

栄介は紀美子の逝去の報を、西井の家から受け、弘子からも聞き、死亡広告も見て、万々承知していた。が、いくら洋吉や弘子がすすめても、遂に通夜にも葬式にも行かなかった。洋吉は、せめて自分が代って行っておけばと、今更のように悔やまれた。

「ご存じのように、娘はあんな死に方をしまして、世間様にもとんだご迷惑をかけてしまいました。親としても、申し訳のないことをしたと思っております。お宅さまにも、何かとご厄介になり、どうも何とも相すみません……」

「いやいや、全くお察しいたします」

洋吉は再び口ごもるように低く答えた。

「親馬鹿と申すのでしょうか。あんな娘でも、親のわたしには、かけがえのないいい娘でして、どうもまだ死んだという現実感がいたしません。ところで……」

西井市次郎はそこでようやく訪問の理由に話を進めていった。それによると、知人の中から、紀美子の書簡や日記を取りまとめ、それに家族や友人知人の、紀美子についての思い出などを附け加えて、ありし日をしのぶよすがとしたらどうかという話が出た。親の口からいうのもおかしいが、娘は多くの方から文章をほめられてもいたし、自分としてもその案を感謝して受けることにした。それで、おせわになった方々にお頼みしているわけだが、お宅の栄介さんにも一文を願いたい、ということだった。

「初めてお目にかかって、とんだ不躾けを申しあげましたが、実は娘の日記に、お宅の栄介さんの名前が何度も書かれていまして、あるいはお宅にも伺っていましたなら、その時の思い出など、ご一緒にお書きねがえれば、こんなありがたいことはございません」

西井市次郎はそうもいった。洋吉は話を聞きながら、恐れていた事態が、遂にわが家にふりかかって来たことを、いち早く感じとっていた。それだけのことなら、わざわざ三人でやってくるには及ばなかった。葉書でも足りることだった。洋吉はしかし、至極もっともというふうに幾度か相づちを打って聞いていた。

「それでですね。商売柄ということでもないんですが、ぼくがその編集を頼まれましてね」

志村芳之が市次郎の後をうけ、栄介の返事を促した。

「いかがでしょう、何かあなたにも一文を願えませんか」

さっきから、珍しく神妙にしていた栄介が、

「さあ、ぼくは字も分も下手ですし、ちょっとそれは……。せっかくですが、まあ、それだけはかんべんしてください」

と、意外におとなしく辞退した。

「そうですか。まあ、今は十二月でどなたもお忙しい時ですから、無理にとは申せませんが……」

「すみません」

「只、こういう企画は、やはり時がたつと感動もうすれますので早くしたいんです。お書き頂けないとなると残念ですが、じゃ、いかがでしょう。少し彼女の思い出話をしていただくわけにはいきませんか。差支えなければ、それをぼくがまとめてみたいと思いますが……」

西井紀美子の追悼文を書けないなら、せめて思い出を語ってほしいと、志村芳之はいうのだ。それは極めて自然な話の推移に見えた。が、栄介はかすかに笑った。笑うと唇のあたりが冷酷に見える。

「いかがでしょう」

志村は、うすら笑いを浮かべている栄介から、洋吉に視線をうつした。

「それは、ま、いいんじゃないでしょうか。な、栄介」

といったものの、洋吉は不安でならなかった。何を聞かれるか、全くわからないのだ。栄介の返事が、更にどんな問題を引き出すかも、到底予測できないのだ。

洋吉の不安は、それればかりではなかった。この、私大教授の西井市次郎なる人物も、生命保険会社の社員であるその息子も、そして、一見明朗に見える志村芳之も、果たしていかなる人物なのか、皆目予備知識がないということも、洋吉の不安に輪をかけていた。しかもあの夜の栄介の冷酷な仕打ちが、洋吉の胸に重くのしかかっていた。

「では先ず、順序として、紀美子と知り合われたのは、いつ頃でしたか、そのあたりから伺わせていただきましょうか」

吹雪にまた窓が鳴り、志村芳之はちょっと語尾を高くした。

「さあ、いつだったかなあ。ことしの春頃だったと思いますがねえ」

栄介はでたらめをいった。

西井紀美子と知り合ったのは、昨年のクリスマス、藻岩のスキー場に行った時だった。友人たちと数人で、西井紀美子はスキーに来ていた。ブルーのヤッケを着た西井紀美子は、その中でも目立って、愛らしい存在だった。黒い大きな目が印象的であった。

最初栄介は、紀美子の仲間の中で、最もはすっぱに見える木久川亜紗に近づいた。頂上に立って、ストックにもたれかかりながら、器用にたばこをくゆらしている亜紗に栄介はいった。

「すみません、マッチを貸していただけませんか」

雪がちらついていて、藻岩から見る札幌の街は、ただおぼろにかすんでいた。亜紗は赤いヤッケのポケットから、黒いラベルのしゃれたマッチを取り出して、

「あげるわよ」

と、なれなれしくいった。

「ありがとう。スキーはいつもここ?」

「失礼しちゃうわ。ここは、ガキの来るところよ。わたしは毎年大雪山に行くのよ」

亜紗の赤く塗った唇がよく動いた。

「ほう、それは凄い」

こうして、栄介はたちまち亜紗に近づき、中腹の売店で、ひる飯を亜紗や紀美子たちと取った。

栄介のスキーは巧みだった。午後から栄介は、急傾斜をえらんですべった。そのスロープについてくることのできるのは、彼女たちの中では亜紗と紀美子だけだった。亜紗が二人に先立ってリフトの方に行った時、栄介は紀美子にささやいた。

「正月には、またここに来ませんか」

紀美子はちょっと顔を赤らめた。

「ぼく、君と二人ですべりたいんです」

二人の交際は、この時からだったのだ。

「そうですか。春からですか……」

黙っていた紀美子の兄が、ちょっといぶかし気に首をかしげていい、

「……正月頃からじゃなかったかなあ」

　と、つぶやいた。

「治君。まあいいじゃないですか、こちらさんのご記憶どおりにお話いただいて」

　と、志村はとりなして、

「それからですね、紀美子との一番の思い出を、何かお聞かせねがえませんか」

　栄介はしきりにあごのあたりに手をやっていたが、やや不機嫌にいった。

「さてなあ。あまり、そう会っていたわけじゃありませんからねえ。特に思い出といっても……」

　志村は、栄介がどんないい方をしても、気持のよい微笑を見せ、紀美子と映画を見たことがあったかとか、紀美子の服装に対するセンスをどう評価するかなどと、さしさわりのないことを、ぼつぼつとさり気ない調子で尋ねていった。

　まだ弘子は帰宅しないのか、勝江が時々茶を運んだり、みかんを運んだりして、部屋に出入りしていた。勝江は、客と栄介の間にとり交される言葉にも、格別注意するふうもない。何がわが家に起ろうと、決してあわてふためくこともなければ、驚くこともない妻の勝江の、一見静かな横顔に、洋吉はいま、半ばいまいましく、半ば頼りにするような思いで目をやった。

志村芳之と栄介の会話は、案じたほどのこともなく運ばれていく。が、洋吉はやはり不安をおさえかねていた。いや、洋吉の不安はつのっていた。さっきから、西井市次郎は、静かに栄介の言葉に耳を傾けている。その表情にも態度にも、少しも咎め立てしようとするふうはなかった。じっと耳を傾けて、身じろぎもしない姿には、ひっそりとした悲しみが漂っているだけなのだ。しかしそれは、あまりに静か過ぎた。洋吉は、その静かさの中に、何かがかくされているような気がしてならなかった。

いま、わが家の恥部が三人の客の前にさらされている。事は簡単に終る筈がない。若い娘が妊娠させられたあげく、男に捨てられ、自殺したのだ。その男は紛れもなく自分の息子の栄介なのである。紀美子の親兄弟の恨みがいかに深いかは、もはや考えるまでもなかった。しかも西井市次郎は、一言も恨みがましい言葉を自分に突きつけてこない。洋吉は息苦しいまでに重圧を感じた。

「そうですか。いや、どうもいろいろとありがとうございました。では、最後に一つだけお伺いしたいのですが、紀美子は近頃、何か悩んでいたような様子はなかったでしょうか」

志村芳之は、栄介と洋吉を半々に見た。洋吉は落ちつかぬ視線を栄介に向けた。

「さあ、別に。……そうですね、母親が早くに死んで淋しい。自分も死にたいなんて、時々いっているのは聞きましたがね。そう始終会っていたわけじゃありませんから……」

西井市次郎がほうっと、ため息をついていった。

「そんなことをあの子がいっておりましたか。母親はいなくても、明るい娘だと思って、うぬぼれてきましたが……」

一瞬、座がしんと静まった。いつのまにか吹雪が止んで、風の音もない。その静かさを破るように、志村が明るい声でいった。

「いや、いろいろお聞かせいただいて、恐縮でした。お話いただいたことを取りまとめて、追悼集にまとめさせていただきます。夜分遅く、本当に失礼いたしました」

その時、いままでほとんど黙っていた治が、暗い目を栄介に投げかけていった。

「あの……ぼくからも一言伺いたいんですが……」

どこか妙にからみつくような語調だった。

洋吉ははっと胸をとどろかせた。最初から、治は栄介の表情の一つ一つを見落すまいとするように、視線を栄介から放さなかった。

「何ですか」

栄介はまたうす笑いを浮かべた。

「あなたが妹と会われた最後の日は、いつでしたか」

「あれは、いつだったかなあ。家に訪ねてきたのは雪の降る日曜日で……下旬ですよ。十一月の」

「日曜日？　そうですか。月曜の夜に会う約束があったんじゃないですか」

「いや、日曜日にここに訪ねてきたのが、最後ですよ」

「そうですか。ぼくの記憶ちがいですか。……その時の紀美子の様子は、どうでしたか。何かふだんと変った感じでもありませんでしたか」

「さあね。何しろ、玄関でちょっと立ち話をしただけですからね」

「えっ？　玄関で立ち話？　本当ですか、それは」

治の顔に、一瞬けわしさが動いて消えた。洋吉があわてていった。

「何せ、栄介の所へは、めったに女友だちなど訪ねてきたことがありませんで……。入ってもいただかずに、とんだ失礼を……」

治は洋吉に、一べつもしなかった。

「栄介さん、それではわざわざあなたを訪ねてきた妹を、玄関払いにしたというわけですか」

「玄関払い？　君、何もそんな言葉を使わなくてもいいだろう」

むっとして栄介は腕組みをした。

車を呼ぶという洋吉の言葉を固辞して、三人は吹雪のおさまった外に出た。

水銀灯が庭に青く灯る真木家の堂々とした構えを、何となく三人は見返った。庭の雪に、木々の影がうす蒼く影を落している。外目には、みじんのゆるぎもない幸福な家庭が、この家の中にはあるように見えた。だが、今見た限りでは、何とうそ寒い、ざらざらとしたあわれな家庭であろうと、志村芳之は思った。

「がっかりしましたね、栄介という男には」

門を出てから、志村がいった。

「うん、煮ても焼いても食えない奴だ」

吐き捨てるように治がいった。

所々、少し吹きだまりはあったが、吹きさらされた道が意外に歩きやすかった。少し行けば国道である。三人は並んで歩いて行った。

「うむ」

ちょっと間をおいて、市次郎が低く答えた。妻を胃癌で失って七年、市次郎は治と紀美子の行末を楽しみに、今日まで生きてきたつもりだった。治はやや陰気だが、妹思いで、几帳面な性格であり、紀美子は明るい家庭的な娘だった。市次郎は二人の子に満足していた。

それが突然、思いもよらぬ紀美子の自殺にあったのである。しかも紀美子は妊娠していた。妊娠の事実は、その死以上に激しいショックを市次郎に与えた。無垢だとばかり思っていたわが娘が、既に男を知っていたということは、市次郎には耐えられない深い悲しみであった。

西井の家人はもちろん、親戚たちも、紀美子の日記に記されている真木栄介なる人間に会った者は、誰もいなかった。いわば彼らにとって栄介は謎の人物であった。紀美子の日記には、栄介の住所も書かれてあったから、彼女の死はいち早く栄介に知らされていた。したがって、西井家では誰よりも真木栄介の弔問を期待したのは当然であった。だが栄介は、通夜にも、葬式にも姿を見せなかった。

一七日《ひとなのか》には来るか、ふた七日には訪れるかと待って、三七日《みなのか》になった今日まで、ついに栄介は現れなかった。治は不誠実だと怒ったが、市次郎はそう思いたくなかった。たとえ娘を捨てた男でも、娘のためには善意に考えたかった。

「心に咎めて、顔を出しかねているのだろう」

憤る治を、そういってなだめてきたのだが、今日三七日の夕方になって、治が一人真木家を訪ねるといい出した。

治はふだん口数が少なく、めったに人と衝突することはなかったが、一たん怒ると何をするかわからぬ激しい一面を持っていた。従兄の芳之が、追悼集を出そうといっていたこともあって、それにのせる原稿を頼む形で訪ねようということになり、若い者だけの行動に不安を感じた市次郎が、連れ立ったのだった。

死んだ紀美子に代って、一言いってやりたい思いは、無論誰もが持っていた。が、それは極力胸におさめて、とにかくどんな人間か、一応見て来ようという約束で、出てきたのだった。

初めて見る栄介は、一見体格もよく、その秀でた眉が凜々しく、男らしく見えた。紀美子が心惹かれたのも、無理なく思われた。だが話をしているうちに、市次郎は、その無責任な、傲岸な態度に、いいようもない情なさを覚えた。

(これが、命をかけてまで紀美子の愛した男なのか)

市次郎はくり返しそう思った。歩道を歩いている紀美子が、突如ダンプカーに襲いかかられ、轢き殺されたような、そんな理不尽さを市次郎は栄介に感じた。まさしく、この栄介という男によって、紀美子は無残にも殺されてしまったのだ。

今夜、市次郎はそんな思いの中で、治や芳之たちと、栄介との一問一答に耳を傾けていたのだった。

真木家を訪ねた紀美子が、どんな話をしたか聞かせてほしいと治がいった時、栄介は、

「君には関係のない話だろう」

と、ふてぶてしく開きなおったのだ。

「紀美子が、あんな奴に……」

治は、オーバーに両手を突っこんで、前かがみに歩きながら、新たな憤りをおさえかねるようにいった。

「うむ」

市次郎は、紀美子の死顔を思い出していた。きれいな水死体だと人々がいった。やや面長だった紀美子は、ふっくらした丸顔になって死んでいた。それがひどく市次郎には悲しかった。

「ね、叔父さん。あの男には、何か聞かれたくないことがあるんじゃないだろうか」

何を思ったか志村がいった。

「聞かれたくないこと?」

「そうですよ。だから、君には関係のない話だろうなんて、いやに開きなおったいい方をしたんじゃないのかなあ」

「芳之さん、君もそう思った? ぼくは何となくそんな気がしたよ。第一、あいては紀美子と会った最後の日は、日曜だといっていたけどさ。日記を見るとそうじゃないんだ。次の日の夜に会う約束をしたと書いてあるからね」

「ぼくも、そのことがひっかかっていてね。たしか月曜の夜会っているはずなんだ。そしてその夜から紀美ちゃんは行方不明になったんだからね。ぼくはあの男に会うまでは、全然そんなことは思わなかったけれど、もしかしたら川につき落したんじゃないか、ふと今そんなことを思ってね」

「あいつならやりかねないな」

治は再び真木家のほうをふり返った。

「軽々しく馬鹿なことをいっちゃいけない。遺書もあることじゃないか」

「でもね、叔父さん。遺書は確かに二、三日前に書いてあるけれど、あの夜紀美ちゃんが、死のうと思ったかどうかは、別だという気もするんですよ」

雪道はゆるくカーブして、右に向っていた。道の片側のクルミの木が、幹に雪を吹きつけられて、街灯の光にくっきりと照らされている。

「何にしても……」

市次郎はいいかけて口をつぐんだ。行く手に黒いオーバーを着たすらりとした若い女の影が見えた。片手に小さな丸いバッグを下げて、少し足早に歩いてくる。オーバーと同色の黒いフードをかぶった女の白い顔が、うす暗い中で目をひいた。

すれちがおうとして、女は三人を見た。次の瞬間、女はハッとしたように、うつむいて立ちどまった。三人には、それがいかにも道をゆずって立ちどまったかのように思われて、

「すみません」と挨拶をして通り過ぎた。女も静かに頭を下げた。それが栄介の妹の真木弘子であることを、無論、三人は知るはずもなかった。

「感じのいい人だなあ」

少し行って志村がふり返った。

「うん、目がきれいだ」

治もふり返った。弘子の影がカーブの向うに消えて行くところだった。

「紀美子と同じ年頃だ」

市次郎は胸が痛んだ。

弘子とすれちがってから百メートル程行って、三人は札樽《さっそん》国道に出た。吹雪いたせいか、まだ十時前なのに、意外に車が少なかった。とうに吹雪は止んでいたが、風は冷たかった。

ようやく通りがかったタクシーを拾って、三人は乗りこんだ。

国道は、ラッセルできれいに除雪されている。アスファルトの上の、あるかなきかの粉雪が前を行く車にあおられて、白い煙が這うように流れて行く。

「叔父さん?」

助手席にすわって、さっきから何か考えていた芳之が、ふいに体ごとうしろを向いて大声で呼んだ。

「何だね」

「ほら、さっき道であった女の人ね。どこかで見た人だと思ったら、たしか紀美ちゃんの葬式に来ていましたよ」

「ほう、本当かね」

「ええ、たしかにあの人です。あの時あの人は泣いていて、ちょっと今夜とちがった感じだったけれど、確かにあの人です」

「誰かな、紀美子の友だちかな」

治がいった。

「かも知れないし、ちがうかも知れない」

志村は眉をよせて、考える顔になった。

女の影

壁と鏡

壁と鏡

元日だというのに、雪の上に音もなく雨が降っている。元日に雨が降ったのは、札幌に生まれて五十年、西井市次郎には憶えのないことだった。暖かい年だと、市次郎は書斎の窓から外を眺めていた。

窓のすぐ一間先に、低いブロックの塀が隣家の庭と境になっていて、その向うの広い庭にこもをかぶった庭木や、縄で枝々を吊されたアララギなどの木々が見える。その木立越しに、レンガ造りの洋館が見えた。

市次郎の住む真駒内団地は、札幌の高級団地といわれ、高層建築のマンションやアパート、そして好み好みに建てられたしょうしゃな、あるいは大きな住宅が、一見異国ふうの街をつくっていた。

西井家のすぐ近くには小さな公園がある。公園というより遊園地といったほうがふさわしく、冬になると起伏のある地形が、子供たちの格好なスキーや橇《そり》のすべり場となる。いつもは子供たちの声がにぎやかだが、さすがに元日のひる前で静かだった。

例年、年始客の幾人かが朝からおしかけてきたものだが、服喪中の今年は訪いくる人もいない。ドアの向うのリビングキッチンから、時折ゴトゴトと音が聞えてくる。息子の治が、甥の志村芳之と、おそい朝食を何かつくっているらしい。

市次郎は机の上の写真立ての妻を見た。

「紀美子は死んだよ」

声に出して、市次郎はつぶやいた。紀美子の死以来、毎日、幾度となく市次郎は妻の写真に向ってこうつぶやく。紀美子に突如自殺された、いいがたい悲しみを、この一言にこめて市次郎はつぶやくのだ。

七年前に胃癌で死んだ妻の波奈子は二つ年下だった。写真の波奈子は、白いセーターを着て、玄関前の芝生に横ずわりにすわって微笑している。七年の間、市次郎は同じ写真を机の上に飾ってきた。紀美子が自殺した日も、写真の波奈子は、変らぬ微笑を見せていた。その時、つくづくと、市次郎は妻は死んでいると思ったことだった。

市次郎は、机に頬杖をついたまま、再び外に目をやった。その頬杖をついている着物の袖口が、少しほころんでいる。

紀美子が死んで一か月、まだ、西井家には女手がなかった。妻が死んだ時、十六歳だった紀美子が、高校に通いながら家事をよくやってくれた。短大に行くようになっても、紀美子は不平一つ言わず、家事を一手に引受けていた。卒業後は当然のように、西井家の主婦役をつとめてくれ、週に二度花をならいに外に出るぐらいであった。

そんな閉じこめられたような生活の中で、紀美子は異性に触れる機会もなく、たまたま友人たちとスキー場で知り合った真木栄介のような男に、魅せられてしまったにちがいない。それは、紀美子のさり気なくメモふうに書いていた日記からも、察することができた。

紀美子が死んではじめて、家事を一手に引受けていた紀美子のけなげさが、市次郎は身に沁みてならなかった。

(淋しい正月だ)

しかも、外は音もなく雨が降っているのだ。あの新雪のまばゆいばかりの光の失われた元日は、いいようもなく市次郎には淋しかった。雨に降られた雪は、うすよごれて灰色になり、すがすがしさのない新年だった。

妻の写真に並んで、紀美子の写真が飾られている。成人式の日に家の前でうつした写真である。うす緑の地のふり袖を着たカラーが鮮明だった。この写真をうつしたのは市次郎だった。写真をとり終えて、紀美子と市次郎はその日街に出かけた。盛装した紀美子が何となくまぶしくて、市次郎は少し照れていたことをおぼえている。

この写真を飾ってはいるが、市次郎はあまり見ないことにしている。死後まだ一か月しかたたないのだ。紀美子を思い出すものは見たくないのだ。そのくせ、整理するのも辛く、すべては紀美子のいた時のままにしてある。二階の紀美子の部屋は無論のこと、洗面所の歯ブラシまでそのままにしている。外出の時など、下駄箱をあけるたびに市次郎はハッとする。紀美子の白や茶のパンプスが並んでいるからだ。その靴に接吻して泣きたいような思いにかられることもある。

妻に死なれた時には、これほどに痛みを感じなかったと市次郎は思う。胃癌の妻の死は、予め覚悟していたところであるが、紀美子の死は突然であったという相違もある。だが、単にそれだけの相違とはいえない愛惜を、市次郎は紀美子に抱いていた。それは、妻は他人であり、娘は血をわけたわが子という、本能的な愛着の強さに思われた。

(ばかな奴だ)

紀美子の写真を見まいとして、市次郎は写真立てをうしろ向きにしながら、心につぶやいた。真木家を訪ねた夜の、栄介の言葉がにがにがしく思い出された。

「妊娠したから結婚してくれなんて迫られてはね。何だかおどされているみたいで……」

栄介は、その片頬に深いしわを見せて、冷たく笑った。よくもそんなことを、紀美子の父である自分や、兄である治の前でいえたものだ。あんなことを、仮にも人前でいう栄介のような男を、なぜ紀美子は愛したのか。

(ばかな奴だ!)

高校時代に母を失って、異性と交際するひまもチャンスもなかった紀美子は、純情だったのだ。その純情を栄介のような男にふみにじられ、妊った紀美子の心情が、またしても思われて、市次郎はかえすがえすも紀美子が不憫《ふびん》だった。不憫が過ぎて腹立たしいのだ。

耐えがたくなって、市次郎は椅子を立った。十畳の書斎は、一方に窓がある以外は、ぎっしりと並んだ丈高い本棚に囲まれている。この数多くの本の中に、今の自分を励ましてくれる本はただの一冊もないような気がした。

「叔父さん、ご飯の用意ができましたよ」

甥の芳之が、ノックをしてドアから顔だけ出した。

「ああ、ありがとう」

市次郎は妻の写真をもう一度ちらりと見、うしろ向きになっている紀美子の写真立てに手をのばしかけたがやめて、部屋を出た。

「ほう、ごちそうじゃないか」

カウンターにすわった市次郎の、ほどけそうな帯を芳之がうしろで結んでくれた。何でもないそれだけの心づかいが、今の市次郎には胸に沁みる思いであった。

「今、もう一品追加するよ」

リビングキッチンのカウンターの向うに、治が背をまるめて、まだ何か盛りつけている。カウンターの上には、トーストと部厚く切ったチーズを盛り上げた一皿、まるのままのトマトとゆで卵を入れた深皿が一枚、そして、いかにも店から買ってきたらしい色濃く着色されたタクアンが小丼に盛られている。

「はい、お待ちどおさん」

治は黒ぬりのわんを三つ、カウンターの上に並べた。

「おや、雑煮じゃないか。治がつくったのかね」

「さにあらず。お隣りの矢野さんの差入れですよ」

「ああ、矢野さんか」

市次郎はうなずいた。

隣家には、一昨年夫を交通事故で失った矢野路子が、高校一年の息子と二人で住んでいる。路子は上品なつつましい四十すぎの女だった。門には茶道教室の看板が出ていて、それで生計を立てているようだった。紀美子が死んでから、女手のない西井家に、出すぎぬ程度に、時折、そうざいを届けてくれたり、漬物をとどけてくれるのだ。

もう八年も前からの隣同士で、親しくつきあってきたのだが、路子は夫を失って以来、少し足が遠のいた。にもかかわらず、市次郎には、路子が急に身近な存在に思われてきた。微妙な心理であった。

「親切なんだね、おとなりさんは」

芳之は雑煮のわんを手に持って、ちらりと市次郎を見た。市次郎はそれには答えず、トーストにバターをつけた。

「雑煮はあたたかいほうがいいですよ、お父さん」

「ああ」

治の言葉に、市次郎はわんを手にとった。

「ひと鍋いただいたんですよ」

「ほう、それは」

里いも、ごぼう、鶏肉、高野豆腐、三つ葉など、具がたくさんはいっていて、福島生まれの母がつくった雑煮に似ていると、市次郎はふっと懐しく思った。矢野路子の故郷も福島だろうかと思いながら、市次郎はいった。

「元日の雑煮をもらって食べるのは、生まれてはじめてだね。何だか……」

淋しいという言葉をのみこんだ。

「淋しいですか」

のみこんだ市次郎の言葉を、芳之がいった。

「おまけに雨まで降って、いやな正月だよ」

不器用にゆで卵をむきながら、治がつぶやいた。少し口を尖らせて、卵の殻をむいている治のまなざしが暗かった。

「まあいいさ。……しかし何だね、芳之の転勤はタイムリーだったな」

志村芳之は、紀美子の死ぬ一週間前に、函館から札幌の本社に転勤してきたのだ。芳之は、市次郎の姉の子で、親は帯広で呉服商を営んでいる。芳之は曾つて北大文類に学んでいたが、その間ずっと市次郎の家から通っていた。卒業後北海新聞函館支社に就職した。札幌に転勤と決った時も、当然の如く市次郎の家に住むことにしたのである。

「全くだ。おとうさんとぼくの二人っきりじゃ、どうしようもなかったな。しかし芳之さん、悪いけれどあんたが女だったら、助かったのになあ」

「だろうね。女手がなくって、こう野郎ばかりそろったんじゃね。まあ、そのうちに治君が結婚するんだな」

「結婚か。ぼくはいやだな。紀美子に死なれて、ぼくは結婚がいやになった。いって詮ないことだけれど、考えれば考えるほど、真木栄介という男には腹が立ったな」

まだ半分殻のついている卵を、治はひとくち口に入れた。

「全く、あれほどいやな男は、今までに見たことがないな」

真木家を訪ねた日以来、幾度となくくり返された会話が、いままたくり返されていた。市次郎は再びやりきれぬ思いになって、口まで持っていった雑煮のわんをもとに戻した。


昨日までの暖かさはどこかへ去って、正午をすぎても寒さがきびしい。HKSテレビのディレクター今野桂一は、霜降りの短いオーバーを着て、人波に押されるように交差点を渡った。

ふり袖に日本髪姿の若い娘たちが目について、御用始めの日らしい華やかな街の雰囲気だった。口の悪いプロデューサーが、さっきいっていた。

「御用始めというのは、BGたちがデモンストレーションをする日さ。日本髪を結ったら、わたしだって満更悪くはないでしょうってね」

パチンコ屋の前に、頬を赤く塗った、これも日本髪姿に女装したチンドン屋が、客引きのカネと太鼓をにぎやかに叩いている。二年ほど前から、この店の専属のチンドン屋は、今野の顔を見ると、手は休めずににこっと笑って頭を下げた。

「やあ、おめでとう。寒いね、今日は」

気軽に今野は声をかけた。男は血色の悪い歯ぐきを見せて、愛想よく笑った。今野は男の名を知らない。いつもこの道を通るので、顔馴染みになっただけだ。

　往き交う人々が、肩に触れんばかりの雑踏の中を歩きながら、今野は思うともなく、真木弘子のことを思っていた。弘子は今日、黒いドレスに真珠のネックレスをして来ていた。考えてみると、弘子は一度も日本髪姿で出勤したことはない。

　今野は、年末以来ずっと仕事がたてこんで、弘子と昼食を共にするひまもなかった。今日午前中で社は終りだった。誘いたいと思ったが、受付の弘子の部屋に、女子事務員たちが何人か群がっていて、皆でどこかに出かけるところらしかった。

　仕方なく、母に頼まれた買物をするために、今野はデパートの前まできた。なかにはいろうとしたが、入口から出てくる女たちに押し戻されて、よろけるように立ちどまった。その女たちのうしろから、

「よう今野じゃないか」

　と、声をかけて出てきたのは、大学時代の友人、志村芳之だった。今野も懐しそうに、

「やあ、志村か」

　と、志村の肩に手をおいた。志村はにやにや笑って、

「女どもに押されて、よろけている図はよかったぞ」

「人の悪い奴だ」

「今日あたり、デパートになんかくるもんじゃないよ」

「しかし、君だってこの人混みの中を、うろうろしていたんだろう。ところで函館はどうだい。ほとんど雪もないそうじゃないか。いつ出てきた」

二人はデパートの入口にある赤電話のコーナーに人波をさけた。

「ごめんごめん。実はね、十一月下旬に本社勤務になってね」

頭をかいた志村に、

「十一月の下旬？　じゃ、もう四十日以上も前に来ていたのか」

今野は呆れたように志村を見た。

「そうだな、もうそんなになるか。何しろゴタゴタしていてね」

「ゴタゴタって……何かあったのか」

「うん。……あまりいいたくもない話なんだが、従妹が自殺してね」

「自殺？　それは大変だったな。とにかく、どこかでひる飯でも食べようか」

二人は肩を並べて通りへ出た。

志村と今野は、大学を卒業する年になって急に親しくなった。志村の友人であり、今野の友人である坂井が盲腸炎をこじらせて長く入院したことが、二人を親しくさせた。

「それもさ、ぼくが大学時代下宿していた叔父の娘でね」

「娘さんか、惜しかったなあ」

志村が真駒内の親戚から通っていることは聞いていたが、今野は志村の下宿先まで訪ねたことはない。地理的に遠いこともあったが、二人は坂井を病院に見舞うことに忙しかった。

「ああ、惜しかったな」

「年は?」

「まだ二十三だった。純情な子でね」

「君、好きだったんじゃないか」

「いや、きらいじゃなかったけれど、従妹だからね。ぼくは従妹などを、生理的に受けつけないようにできているらしいよ」

「じゃ、君とは関係のないことで死んだわけか」

「無論、ぼくとは何の関係もない。しかし、まあ、とにかくその子が死んで、女手のない家だし、市内には親戚らしい親戚はないし、ぼくがついつい葬式から後始末まで引受けたみたいになってね」

「君は小まめな男だからな。坂井の時も、君はよくやってくれたっけ」

二人は駅前通りに出た。

「北に行こうか、南に行こうか。今日はどこも人が溢れているだろうけれど」

交差点で立ちどまっている二人の傍らを、人は絶えず流れて行く。

「ぼくは、ひるはラーメンでいい」

「じゃ、南だ」

「何を食べるかだよ」

「函館はいいぜ。こんなにゴチャゴチャ人はいない」

「ああ、これ以上人はふえなくていいね」

二人は再び歩き出した。

交差点を渡ったところで、左手から華やかに着飾った娘たちが五、六人近づいてきた。

「今野さん」

なかの一人が呼んだ。HKSの事務員たちだった。うしろに真木弘子が静かに微笑していた。目がまっすぐに今野に注がれている。その弘子に、志村の表情がハッと動いたことには、誰も気づかなかった。

「やあ、ぞろぞろと金魚の何とかみたいだな」

「ひどいわ、今野さん」

笑い声を聞き流して、今野は真木弘子に再び目をとめて別れた。

「おい、今野、人気があるじゃないか」

「いや、局の女の子たちだ」

「ああ、テレビ局の……」

すでに人波の中に消えた彼女たちをふり返って志村がいった。

「あの、一人だけ洋服を着ていた子ね、あの子もテレビ局の子かい」

真木弘子は、やはり誰の目にも際立って見えるのかと思いながら、今野は、

「ああそうだよ。受付のね」

と、答えた。

志村と今野は背丈は同じぐらいだが、今野の肩幅がやや広い。志村は面長で目が大きい。今野は色が浅黒く、目は細からず大きからずだった。志村はしゃれたマフラーをコートの襟にのぞかせているが、今野は何年か着古したオーバーを無造作に着ているだけだ。

あまり共通点のないことが、二人を友人にさせていたのかも知れない。いま二人は、少し雪のちらつく薄野の街を歩いていた。うすぐもりの空に、冬の日が月のように白く小さい。日が雲の底にもぐっているようだった。

札幌随一の盛り場、薄野《すすきの》は夜の街だ。にもかかわらず、今日は日中から人が溢れている。

「やはり、正月だよ」

志村が人出に呆れていった。

十字路を渡って、次の通りを左に折れるとラーメン横丁だ。横丁といっても、細い露地にラーメン屋だけがずらりと並んでいる。赤いちょうちんの下っている店々には、どこも人が一杯だった。

「不覚だなあ。ここは夜の街だから、空いていると思ったが」

志村が舌打ちをした。

「仕方がないさ」

今野が男らしい微笑を見せて、あっさりいった。

「何で、こう札幌の人間共はラーメンばかり食いたがるんだ」

「胃袋も、サイフも、ラーメンがいいといっている状態なんだろう」

「そうか、それもそうだな」

二人は露地をとって返した。路が少しすべる。通りに出て、ふと見上げると、ラーメン横丁の隣りのビルに韓国料理の看板があった。志村が指さして、

「ここまで歩いてきたら、腹がすいた。今野、食っていくか」

「うん、何もラーメンでなくてはならんわけでもない」

二階に上ると、七つ八つ程のテーブルを、一つ一つつい立で区切った店があった。客が四、五組入っている。肉を焼く匂いと、ニンニクの匂いが漂っている。窓際のテーブルに二人

は向い合った。

ロースとカルビ、それに野菜と漬物を頼んでから、

「飲むか」

志村がいった。

「いや、ひるはやらない。飯にする」

「じゃ、俺だけビール一本もらおうか。俺はこのホルモン焼が好きでね」

「俺もだ。しかしね、志村。この辛いうまさを知ると、ほかの料理の味が、もの足りなくなるだろう」

今野は目を細めてタバコに火をつけた。

「うん、全くだね」

「刺激の強いのに馴れると、更に刺激を求める。これは危険だな」

「そうかも知れない」

壁に貼ったポスターに目をやった志村が、何か考える顔になった。

「このポスターの男……」

志村はつぶやいた。テレビでよく見かける俳優が、盃を胸の高さに持って、微笑している何の変哲もないポスターを、今野も見た。

「どうした？　この男が？」

頬のふっくらとした少女が、肉や野菜を運んできた。その肉を、今野は器用な手つきで網の上にのせた。

「うん」

志村も箸をとったが、

「この男によく似ているんだ」

「この男に？　誰が？」

「自殺した従妹の相手だよ」

「ふーん。そうか、心中だったのか」

肉の脂がしたたってガスコンロの蒼い焔が、ボッと赤く変った。

「いや、心中じゃない。心中ならまだいいんだが、彼女は妊娠して捨てられたらしい」

眉間に深いたてじわを見せて、志村はビールを一口飲んだ。

「それは、かわいそうだな」

「全くさ。ひどい男でね。男前はまあこんなふうに、ちょっと苦み走ったいい男だが、何というのかね、とにかくいやな男だ。葬式にも顔を出さず、知らんふりでね。こいつの家に訪ねて行ったんだ」

志村はかいつまんで、栄介を訪ねた夜のことを話した。

「……俺も商売柄、いろんな男に会ったが、あんな非常識な男に会ったことはないな。彼のいうにはね、妊娠したから結婚してくれなんて、まるでおどしか、たかりじゃないか、というんだ」

「とんでもない奴だな。非常識なんてものじゃない。ひどすぎるよ。何ていう名前だ?」

「真木栄介っていう野郎さ」

「真木?」

今野はハッと、真木弘子を思い浮かべた。

「何だ!　君の知ってる奴か」

「いや……その男は知らないな……」

今野はあわてて、さり気なくいった。

まさか、あの弘子にそんな非道な兄はいるまい、と思った時、今野ははたと思いあたった。

ホテルの地下で弘子と食事をしていた時だった。

あの時、今野は自分の気持を弘子に告げたい思いになっていた。だが、弘子の目はテレビに釘づけになっていた。弘子は蒼白だった。確かテレビでは、誰かの自殺を告げていた。弘子の友人か知人か、あるいは親戚かと思い、今野はあえて追究しなかった。

あの時の弘子は異常であった。只の衝撃ではなかったようであった。しばらくの間、弘子の視点は焦点が定まらず、今にもその場に崩折《くずお》れそうに思われた。

とすると、やはりその真木という男は、弘子の兄弟か、親戚か。俄かに身内の悪を暴かれた思いで、今野は肉を焼く手をとめた。

「さっき、駅前通りで会った、テレビ局の受付とかいった女の子ね……」

志村がふいにいった。

「ああ」

今野は内心ぎくりとした。

「感じのいい人だなあ」

「そうか」

「そうかって、君はそう思わないのか」

「まあ、いい子だと思うよ。素直でかしこい子だ」

「あのひとね、実は確か、葬式に来ていたと思うんだ。棺の出る時、ぼくは霊柩車の窓から見てたんだが、見送りの人たちの中で、あの人が、泣きはらした目で、じっと胸に手を合わせていたのを覚えているんだ」

「そうか」

「死んだ従妹の友だちだろうか。今度、あの人を紹介してもらえないか」

今野は黙って、肉を唐がらしのたれにつけた。

「いやか、今野」

「………」

「いやならいいよ。だけどね、従妹のために、あんなに泣いてくれた人だから、ちょっと話してみたいと思ってさ」

「まあ、やめたほうがいいよ」

「なぜだい」

「なぜでもさ」

「なぜでもという言い方があるか、今野」

志村は微笑して、

「おい、今野、お前あの人にほれているな。いやに警戒するじゃないか」

「なあ志村、なぜでもという言い方しか、できないこともあるものだ。君は彼女に好意を抱いたんだろう?」

「いい感じのひとだよ。女には、めったにいい感じのひとはいないけれど」

「じゃ、それだけにとどめておけよ。いい感じの人だと思っただけで、近よるな」

「何だか、どうも妙な言い方だな。そういわれると、かえって近よりたくなるよ、俺は」

「志村、お前の函館からのハガキには、函館は美人の多い所だと書いてあったよな。誰か決めた人はないのか」

今野は話を外らした。

「残念ながら、かけ出しの記者には、その暇はなかったよ。同期の奴は三分の二位結婚したがね。今野もそろそろだろう」

「まあ、そのつもりだ」

「受付のあのひとか」

志村の言葉に、今野が再び黙った。

「どうも、あのひとのことは君にはタブーらしいね」

「志村……」

「何だい改まった顔をして」

「彼女の名を教えてやろうか」

きびしい今野の表情に、志村はけげんな顔をした。

「彼女、真木弘子という名前だ」

「え？ 真木？ 真木弘子？ 本当か、おい！」

志村が、その場を忘れたように大声を上げた。

「そうだ、彼女の家は手稲だ」

「そうか、そうだったのか。なるほど、それでわかった」

志村はひざを叩いた。

「何がわかったんだ？」

「いや、真木の家を訪ねた帰りに、あのひとに会ったんだ。なあんだ、彼女はあの男の妹か」

「おそらくね、まちがいないところだろうな。志村、がっかりしただろう」

「うーん、がっかりだ」

「俺も、さっき男の名を聞くまで、彼女に関係ある話だとは思ってもみなかったんだ。聞いておどろいたわけさ」

今野は雪のちらつく窓を見た。今野のひきしまった顔が、少し淋しくかげった。

「じゃ、今野もがっかりしただろう」

「がっかりというより、複雑だな。同じ親から、そんな男とあの子のようないい子が生まれるのかと思うとねえ」

「あんな男の妹が、本当に気立てがいいか、疑問だね、俺には」

「いや、彼女とその男とはどんな関係か、確かな線はまだわかっちゃいないわけだから……。それはともかく、三年つきあっているから、彼女のよさは保証できる」

「何だ、お前やっぱり、彼女にほれていたのか」

「ああ」

「結婚するつもりか」

「そのつもりだ」

今野はきっぱりといった。

「そうか、そういう相手だったのか」

志村はコップを持ったまま、その視線をガスの焔に落した。会話がちょっと途切れた後、今野が腕組みしていった。

「……それにしてもねえ、君の従妹を自殺させた奴の妹か……。どうも妙なことになったな」

「………」

志村は、何か考えていたが、持ちかけた茶碗をテーブルに置いて顔を上げた。

「今野、この結婚はちょっと考えてみたほうがいいんじゃないか」

「なぜ？　兄貴は兄貴、妹は妹だよ」

「それはそうだがね。……これは、まあここだけの話だがね。実は従妹の日記を見ると、明日の夜真木栄介に会う約束をしたと、死ぬ前日に書いてあるんだ」

「うん、それで?」

「ところがあの男は、死ぬ前日に会っただけだというんだ」

「だから?」

「その辺はどうも推測になるんだがね。あの男に会って……。どうもあの男なら、川の畔りを歩いていて、つき落したんじゃないかと思ったりしてね」

「……遺書は?」

「遺書はあるんだ。しかし、死ぬ二、三日前に書いていて、果してその夜自殺するつもりだったか、どうかという気もしてね」

「なるほど。遺書はあるが、自殺ではない気がするか。同期の田津木なんか、始終遺書を書いては家出して、戻ってきていたからな。しかし、それは必ずしも推測通りとは思えないがね」

「第六感というのが、当ることもあるよ。とにかく、あの男は女の一人や二人、平気で殺すような、冷酷な男だよ」

「それはしかし、志村、主観が入りすぎているよ。人間なんて、あの男がというような、おとなしい奴が、よく犯罪を犯しているからね。人間はすべて、罪を犯す可能性を多分に持って生きている存在だよ」

「しかし、万一、あの男がぼくの従妹をやっていたら、君、殺人犯人の義弟ということになるんだぜ」

「仕方がないだろう。結婚というものは、いかなる未来も、いかなる過去も含めて、一応の覚悟をしていなければならないものだからね」

「なるほど、今野らしいや。君はその点、男らしい奴だからな。じゃ、彼女と結婚し給えといおう」

「いや、実はまだ、俺の気持は彼女にはそれほど通じていないいんだ」

「それほど?」

「友人としか、彼女は考えていないようだな、どうも」

「じゃ、結婚すると決ったわけではないのか」

「ああ、思っているのは、こっちだけだ」

今野は明るく笑った。

「鮮烈な赤ね、不二夫兄さん」

弘子は不二夫の部屋の壁にかけてある、サンゴ草のパネル写真の前に立っていた。遠く地平線に山が眉のように低く蒼く見え、画面一杯が、鮮紅色のサンゴ草でびっしりと埋められている。空にひとつ白い秋の雲が浮かんでいるのが印象的である。

「こんな色って、やっぱり北国の色なのかな」

あまり明るくない蛍光灯の下に、不二夫はやさしい微笑を見せた。不二夫が去年の秋網走に行った時、能取湖《のとろこ》まで足をのばして撮った写真なのだ。

「わたしね、不二夫兄さんが、こんな風景に心惹かれるって、おもしろいと思うの」

弘子は椅子にすわった。

「どうして」

「だって、お兄さんって、激しさの少しもない人のような気がするの。ただもう優し過ぎて、いつも誰をも傷つけまいとして……」

「どうやら、弘子はぼくに不満らしいねえ」

タートルネックの白いセーターが、不二夫によく似合った。口もとに浮かぶ微笑が、言いようもなくやさしい。その不二夫を見つめながら、弘子はうなずいた。

「そうよ、不満よ、大不満よ。さっきだって夕食の時、栄介兄さんが不二夫兄さんのお肉を黙って食べたじゃない？　どうして、それを咎めないの？　どうして黙って食べられているのよ」

「ごめんよ。どうも、ぼくってこういう生まれつきなんだ」

「憎らしいとも思わないの」

「小さい時から、いじめられることに馴れていてね」

「いやよ、そんなの。不二夫兄さんだって、男じゃないの。いじめられることに馴れるなんて、卑屈だわ」

「卑屈？　なるほど、そういう見方もあるんだなあ」

机に片ひじをついて、不二夫はまた微笑した。

「お兄さんは卑屈じゃないつもり？」

「ぼくは、何も兄貴に屈服しているつもりはないよ。ただ、病人だと思っているんだよ」

「病人？」

「そう。常人じゃないよ、兄貴は。あんなふうに生まれついたってこと、かわいそうだと思わないかい、弘子は」

「思わないわ。憎らしいわ」

「そうか。それは正しい感じ方かも知れないな。あのね弘子、ちょっと古い話だけどさ、たしか、ぼくが八つ、兄貴が十の時だったよ」

不二夫は傍らの温風暖房のスイッチを切った。ファンの音が消えて、急に部屋の中が静かになった。

「兄貴は小猫に袋をかぶせて、遊んでいたんだがね。そのうちに、それだけではつまらなくなったのか、ボール箱に入れてね」

「まあ、箱に入れたの」

「うん、その箱の上から、荒なわをかけたんだ。猫は中でゴトゴト動くだろう? すると箱が動くわけさ。兄貴はそれをおもしろそうに見ていたよ。猫が苦しいだろうとぼくは気になってね、出してくれって頼んだら、兄貴が怒ってね。その時、家の裏でごみを焼いていたんだ」

不二夫は眉をよせた。

「まさか、その火の中に……」

「それが入れたんだ。ぼくは驚いて、その箱を取ろうと思ったら、兄貴につき飛ばされて、腰を打ってさ。その時の猫の鳴き声が、今でも耳に聞えるようだよ。その時からだよ、ぼくは兄貴から弱い者をかばうことは、その弱い者を、ますますひどい目にあわせることだと思うようになったのは」

その時、ノックもなくドアが開いた。栄介がニヤリと笑って入ってきた。

突如入ってきた栄介に、不二夫と弘子はぎょっとして顔を見合わせた。猫を火にくべた栄介の残虐な話を、たった今していたばかりである。その話を立聞きでもされたような、落ちつかぬ思いだった。

「何を驚いているんだ、二人とも」

栄介は鼻先で笑い、カーペットの上にあぐらをかいた。

「だって、ノックもしないで入ってくるんですもの」

失礼よと、たしなめたい言葉を弘子はのみこんだ。

「ばかばかしい。弟の部屋に、いちいちノックなどしていられるか。それとも、俺が突然入ってきて、困るようなことでも、話していたのか」

椅子にすわっている二人を、栄介はじろりと見上げた。

「どういたしまして。遠い日の、美しい思い出話をしていたのよ。ね、不二夫兄さん」

弘子はすまして答えた。不二夫は椅子の背にひじを凭《も》たせて、能取湖のサンゴ草の写真に目をやっていた。

「ま、そんな話は、俺の知ったことじゃない。それより不二夫、おやじはお前の銀行にしか、金を預けていないのか」

いきなり栄介は、自分のいいたいことをいい出した。

「さあ、ぼくにはよくわからないよ」

「わからない？　じゃ、お前の銀行にはいくら預けているんだ」

「困ったなあ、それは。仕事上の秘密は洩らせませんよ」

「何が仕事上の秘密だ。銀行ってところは、そんなに口はかたくないぜ。俺は今日、電話で問い合わせたんだ。定期は二千二百万、普通預金は百万ちょっとだった。どうだ、その通りだろう」

「そんなこと、本当に銀行で教えましたか」

「ああ、あっさりと教えたよ。真木洋吉だが、ちょっと通帳が手許にないので、正確な数字を知りたいって、電話したんだ」

「悪いわ、お兄さん。お父さんの名前をつかったりして」

「何が悪い？　息子が親父の名をつかうぐらい、かまわないだろう。それより不二夫、おやじは、あと三千万ほど持っているはずだと、おれはにらんでいるんだ。一体どこに預けているのかな」

「さあ、ぼくは知らないですよ」

「本当か？　まさか、株は買っていまいと思うが……。もしかしたら土地でも買ってあるのかなあ。おやじの奴、一体いくら持っているんだろう」

栄介は腕を組んだ。

「お父さんがいくら持っていようと、お兄さんには関係のないことじゃない？」

椅子の上から、弘子は栄介を見おろした。気持の上でも、栄介を見下げる思いだった。

「冗談じゃないよ、弘子。おやじが五千万の金を持っていて、いま死ぬとするか。するとお袋に二分の一、あとの残りを俺たちが三分して八百万ちょっとの金が入る。しかし、三千万だと、ぐっと差がついてくるからな」

「でも、お父さんはまだ五十代よ。あと二十年はお元気よ。二十年も先になったら、お金だって価値は変るし、第一何かに使ってしまうわよ。今からそんな計算をすること、ないと思うわ」

「ばかな奴だな、お前も。おやじがああピンピンじゃ、当分死にはしないだろう。だからこそ、今から金を有効に殖やしておいてほしいんだ。いや、金の値の変らぬうちに、金を分けてほしいんだ。それには、今おやじがいくら持っているか、知る必要があるということさ」

「あーあ、何とも情ない話ね。大の男が親のお金を当てにするなんて」

弘子の言葉を栄介は耳にもとめず、

「そうだ！　おやじは俺たちの知らんうちに、お袋の名義にした金もあるかも知れないな。おい、不二夫、案外お前名義のお金もあるんじゃないか。お前はおやじに信用があるからな」

栄介はぐっと、片ひざを立てた。

「そんなことはないですよ」

おだやかに不二夫が微笑した。

「いや、わからんぞ」

ちかりと光る栄介の目を、弘子はつくづくと呆れて眺めた。金しか眼中にないのだ。死んでまだ一か月少ししかたたない西井紀美子のことなど、この兄は全く忘れているにちがいない。

弘子は西井市次郎の顔を思い浮かべた。葬式の日、挨拶をする葬儀委員長の傍らに、市次郎はうなだれて立っていた。市次郎は唇をかみしめて悲しみに耐えていたが、委員長が、

「実にお父さん思いの、やさしいお嬢さんでしたが……」

といった時、その顔がくしゃくしゃに歪み、ハンケチで顔をおおってしまったのだ。

その市次郎の顔が、弘子の瞼に焼きついて離れなかった。それだけに、あの夜雪道ですれちがった時、弘子はいいようもない衝動をうけた。その夜の悄然とした市次郎の姿や、葬儀の日の顔が、紀美子の顔と共に、弘子には毎日のように思い出されてならないのだ。

だが、当の栄介は、いっこうに紀美子のことを心にかけているふうはない。金のことばかりいっている栄介に、弘子はむらむらと怒りがこみあげた。その怒りをおさえながら弘子はいった。

「それよりお兄さん、西井さんのおうちにお参りに伺ったの」

「西井？　くだらんことをいうなよ、弘子」

「あら、くだらないことかしら」

「くだらんことだよ。勝手に死にたくて死んだんだ。別段俺が頼んだわけじゃない」

「だって、お兄さん。知っている人が亡くなったら、挨拶に行くのは当然でしょう。まして、あの方はお兄さんの子を宿して、捨てられたのよ。捨てられたから死んだのよ」

「捨てられたから死んだ？　だから女の子というのは単純でいやなんだ。俺が捨てた女は、四人や五人じゃないよ。しかし、死んだのはあの女だけだ。とするとだね、捨てられたから死んだという論理は、成り立たないことになるんだな、弘子」

　栄介は不敵な微笑を浮かべた。

「でも、あの方は捨てられなければ、死ななかったわ。それだけは確かよ」

「俺はね、捨てられたから死ぬなんていう、精神の弱い女は、死んだ方がいいと思うんだ」

　事もなげに栄介はいい、少し伸びかかったひげに手をやり、

「そうだ、俺も顔中ひげを伸ばすかな。しかし、頬ひげは顔に自信のない奴が伸ばすというからな。俺さまのような好男子は、伸ばす必要もないか」

　と、傍の壁の鏡を手に取って、のぞきこんだ。紀美子に対する痛みのひとかけらもない栄介の態度に、弘子は怒りを超えて、深い絶望を感じた。が、若い弘子には、そのまま黙っ

ているこどもできなかった。

「お兄さん、西井さんのお宅ではどんなにか淋しいお正月だったでしょうね」

栄介は、のぞきこんでいた鏡を音を立てて壁に戻すと、無気味にすわった目を弘子に向けた。

「弘子！　向うはな、死にたくて死んだんだ。それでいいじゃないか。いったいあいつとお前に、何の関係があるというんだ？　何の関係もないことを、横から何でそうくどくどいわなきゃならんのだ」

わざと低めた声が、威圧的だった。その栄介を冷たく見つめたまま弘子はいった。

「関係はあるわ」

「何の関係だ！」

「あの方のお腹の中には、わたしの甥か姪がいた筈よ、お兄さん」

「いい加減にしろよ、弘子！」

「いいえ、いうわ。妊娠していたあのひとが死んだということは、わたしの血をわけた甥や姪の死んだということでもあるのよ。関係は大ありよ」

そして、その子はまさに、この兄の子であり、父母の孫でもあるのだ。無事に生まれて、二、三年も経てば、「おばちゃん、おばちゃん」と、かわいい手でまつわりつくかも知れないのだ。

紀美子の死は、即ち二つの命の死なのだと、弘子は思わずにはいられなかった。

「お兄さんがお参りにいかなければ、わたしが行ってくるわ」

事実弘子は、西井家を訪ねて、手をついて詫びたい思いだった。

「弘子！　差し出がましいことをするな！」

栄介の額に青筋が立った。

「差し出がましいことはしないわ。ただ、人間らしいことをするのよ」

「何だと！」

「あっ！」

口より早く栄介の手が弘子の頬で鳴った。荒々しくドアを開け、栄介は部屋を出て行った。


昨日からの憤りが、まだ弘子の中で燃えていた。兄の栄介に殴られた頬の痛みは去ったが、弘子の胸の傷は疼《うず》いていた。弘子は、勤務が終ったら夕食を街ですませ、西井家を訪ねてみようと、むきになっていた。昨夜の憤りがなければ、一人で西井家を訪ねる勇気は出なかったかも知れない。

もう時計は四時を過ぎている。ロビイの大時計に目をやった時、今野が二階から降りてくるのが見えた。

「今日、夕飯を食べないかい」

近づいてくるなり、今野がいった。いま、スタジオから出て来たばかりなのであろう。今野の広い額が汗ばんでいる。

「ありがとう。でも、今日はちょっと、都合が悪いの」

「なあーんだ、先約があるの？　がっかりだなあ」

「ごめんなさい。でも、明日ならいいわ」

「明日か、まあ、仕方がない」

今野は、たばこに火をつけて、

「君、きょうだいは何人だったっけ？」

と、さり気なくいった。

「兄が二人よ、いつかもいったわよ」

「ああ、そうか。お兄さんが二人か、なるほど」

「なにがなるほどなの」

「いや、君のお兄さんは、どんな人かと思ってさ」

一瞬弘子は目を伏せた。美しいまつ毛だと今野は思った。

「わたしの兄に興味があるの？」

「まあね」

「なぜ」

「なぜって、君のきょうだいだからさ」

「ふん。じゃ、今野さんのきょうだいは何人？」

「妹が二人、いつかいわなかったかい」

「聞かないわよ」

「そうかなあ」

「妹さん、いい方たちでしょうね。今野さんの妹なら」

「ぼくの妹なら？」

「ええ。今野さんって、とっても誠実で、いい人ですもの」

「そうあっさりといわれると、喜んでいいのか、悲しんでいいのかだな」

今野は語尾を口の中で濁した。

「なあに？　何かおっしゃった？」

「君のきょうだいも、いい人だろうな」

「それがちがうの。下の兄はガラス細工のようにデリケートなの。やさしくて、傷つきやすくて、清らかなの。でも、上の兄はわたし大嫌い！」

弘子の目が暗くかげった。

「きょうだいでも、いろいろあるからね。うちの妹も、上は内気で消極的だが、下の妹は大変なおてんばだ。スカイダイビングをやりたいとか、ネパールで看護婦をしたいとか、やりたいことが週に一つずつ増えてくるよ」

今野は笑った。

「そんなちがいならいいけど……上の兄ときたら……恥ずかしくて話せないわ。でも、きょうだいって何かしら、今野さん」

「ある意味では、厄介な存在だろうね。別にお互いきょうだいになりたくて生まれたわけじゃないから」

「そうね。その家に生まれたら、偶然こういう兄がいた、ということですものね」

「血をわけたきょうだいだから、愛情も湧くし……」

若い女性が二人、玄関の自動ドアの前に立つのが見えた。

「じゃ、失礼。あしたの約束、いい？」

「いいわ」

再び今野は二階に駆け上って行った。若い二人連れの女性は、テレビ局の美容師を訪ねて来たのだ。

二人が美容室のほうへ去ると、弘子は、本当にきょうだいとは何かと考えた。

不二夫に対しては愛情も持っている。しかし、栄介に対しては、自分は蔑みと嫌悪しか持っていない。

局の前を、救急車がサイレンを鳴らして通りすぎた。

(もし……)

あの栄介が車に撥《は》ねられて死んだとしたら、自分は果して泣き悲しむだろうか。驚きはしても、泣きも嘆きもしないような気がする。

死んでも、泣きも悲しみもしない存在、それはもはや、きょうだいとは呼べないのではないか。きょうだいとは呼び得ぬ者を、兄と呼んで一つ屋根の下に暮らしていることに、弘子ははじめて、何か無気味さを感じた。

(あの兄を愛し得ないわたしが悪いのだろうか)

悪くはない気がした。が、一方いかなる兄でも、兄である限り愛さねばならぬ気もした。

家に栄介のいない時は気が軽く、いる時は何かおさえつけられるような重苦しさがあった。

「あの……ディレクターの今野さんはおりますか」

青年の人なつっこい、まるい目が、受付の窓から弘子を見つめていった。

「はあ、どちら様でいらっしゃいますか」

青年は、モダンなマフラーをコートの衿からのぞかせていた。昨日、たしか、今野と街を歩いていた青年だと気づいて、弘子は微笑した。

青年は志村だった。

「ぼく……いや、まあ、……君ね。君は真木弘子さんですね」

「はあ、わたくしは真木ですけれども」

「ぼく、今日で、あなたに会うのは四度目です。でも、ご存じないでしょう？　あなたは」

「四度目？」

「そうです。昨日、ぼくは今野と歩いていて、あなたを見かけました。それが三度目です」

「まあ」

志村が、からかっているのだと思って、

「今野さんをお呼びしましょう。お名前は何とおっしゃいましょうか」

「いや、今野はどうでもいいんです。ああ、ぼくの名ですか、志村です」

志村はそういい、

「真木さん、一度目はどこでお会いしたか、知っていますか」

と真面目な顔になった。

「わかりませんわ」

「二度目は?」

「ごめんなさい。覚えていませんわ」

「そうですか。ぼくの顔は、女性に印象稀薄な顔だということですね。改めて知らされました。ところがぼくは、一度目からあなたをはっきり覚えているんです」

「ありがとうございます」

時々弘子と話をしたくて、出かけてくる青年たちがいる。その一人かも知れないと、弘子は聞き流した。

「一度目は、西井紀美子の葬式の時ですよ」

「え?」

弘子の顔がこわばった。

「あなたは、あの時目を赤く泣きはらしていましたよ。二度目は十二月十日の、あの吹雪の夜、手稲のお宅の近くで、ぼくたち三人とすれちがったでしょう」

「じゃ、あなたは……紀美子さんの……」

弘子の顔が青かった。

この人はいま、志村といった。とすれば、紀美子の兄ではない。では、新聞記者をしているという、紀美子の従兄でもあろうか。何のために、この志村という男は、自分を訪ねてきたのだろう。弘子は一瞬の間に思いめぐらしながら、不安な目で志村を見つめていた。

壁と鏡

風貌

風　貌

夜空にくろぐろと立つポプラ並木の下を、果物かごを下げた弘子は張りつめた表情で歩いていた。真駒内川を渡ってくる風が、右頬に突きさすように寒い。道は、川の流れに沿って、ゆるやかにカーブしていた。

西井家は、真駒内団地の泉町三丁目であった。この近くには高校時代の友人の家があって、弘子は幾度か来たことがあった。

明るい灯のこぼれるマンションが左手につづき、マンションとマンションの間の広い庭の雪が、夜目にも深々と白い。だが弘子は、いま訪ねて行く西井家のことと、先程テレビ局に訪ねてきた志村芳之のことで一杯になり、あたりの風物に目をやるゆとりはなかった。

「ぼくは、西井紀美子の従兄です」

志村はさっき、局の受付の窓に片ひじをつき、不遠慮なまでに弘子をみつめた。

二坪ほどの受付の部屋には、常時弘子が一人いるだけだ。地方のテレビ局であるＨＫＳ

には、そう頻ぱんに人はこない。閑な時は三十分以上も、誰も訪ねてこないことがある。受付は弘子一人で充分だった。

受付の前の広いロビイには、いくつかのソファがあるが、そこは受付から数メートル隔っていた。外来者らしい二、三人がテレビの前のソファにすわって話をしていたが、志村芳之と弘子に注意を向ける者はいなかった。受付の女の子と、客の単なる話合いとしか、人は見なかったにちがいない。

「ぼくは、別にあなたを責めにきたわけじゃありませんよ」

志村は、顔を伏せた弘子に、ちょっと困ったようにいった。

「……いいえ。紀美子さんのことを思いますと、本当に……何を申し上げてよいか……」

「いや、あなたは葬式に来てくださって、あんなに泣いていた。あなたはお兄さんの流すべき涙を流したんです。だから、ぼくはあなたにお会いしたくて、きたんですよ」

好意のある言葉であった。だが弘子は、今日勤務を終えた後、すぐに西井家に詫びに行くつもりでいることを、志村には告げなかった。好意的な志村に、何かおもねって思い立ったように誤解される気がしたからだ。志村が西井家に寄寓していることを無論弘子は知らなかった。ともあれ、志村の態度が、弘子に西井家を訪ねる決心を、固めさせたのは事実だった。

「ぼく、今野と学生時代からの友人でしてね。昨日、街であなたにお会いしたあと、実はあなたのことを、彼からいろいろと伺ったんです」

一歩一歩、雪道を踏みしめるようにして歩きながら、弘子は先程の志村の言葉を思い出していた。今野が何を志村に語ったか、そのことには弘子は何の不安もなかった。誠実で男らしい今野は、むやみに陰口などいう男ではない。

が、今野は志村から、栄介の非道を聞いていたにちがいない。今野がさり気なく、

「君のお兄さんは、どんな人かと思ってさ」

といったのは、志村から既に紀美子に対する栄介の冷酷さを聞いたからにちがいないのだ。弘子は今野に、顔を合わすことのできないような恥ずかしさを感じた。

その栄介への怒りが、今、西井家に自分を向かわせているのだが、その怒りが更に激しく燃え上るのを弘子は感じた。

ふっと、弘子は夜空に目を上げた。白い雲の切れ間に黒い空がのぞき、星が冴えた青い光をまたたかせていた。その光を仰いだ弘子は、いま自分が西井家を訪ねて行くことに一体どんな意義があるのかと、疑問を持った。相手の感情を乱すだけのような危惧を感じた。しかしやはり、手をついて詫びずにはいられない思いだった。

弘子にはそれが自分でも不思議だった。弘子は栄介を侮蔑し、嫌悪している。にもかか

わらず、その栄介のした冷酷な仕業を、栄介に代って詫びずにはいられないのだ。きょうだいというものの、割り切れぬふしぎさを、弘子は今また思った。毎日の生活の中では、何ひとつ心の通うものがないのになぜ、こんな思いになるのか。ひっそりとした夜の児童公園に沿って歩きながら、弘子は思わずため息をついた。吐く息が白く流れた。

児童公園の角を曲ると、透明な水色の電話ボックスがあった。白い短いオーバーを着た少女が、ひどくもの憂げな横顔を見せて、電話をかけていた。何か水槽の中の白い魚のような印象だった。

帰るか、帰るまいか、にわかに弘子の心は揺らいだ。ブロック、鉄柵、生垣、思い思いの塀をめぐらせた家々が、広い道の両側に建ち並んでいる。その何れかが、西井家の筈だった。弘子の胸は高鳴った。

どの家にもガレージがつき、明るい門灯がともされ、広い庭があった。教会堂のように尖った屋根の家、純日本風の平屋の家、それぞれ個性的な家が並んでいる。その一軒一軒の表札を、弘子は胸をとどろかせながら読んで行った。

その幾軒目であったろう。大谷石の低い門に、西井市次郎と書いた表札を見た時、弘子の足は激しくふるえた。

この家が、西井紀美子の家なのだ。このあたりで、一番質素な感じのモルタル二階造りで、坪数も少ないようである。紀美子はこの家の中で生きていたのだ。そして今、紀美子を失った悲しみの家族が、この中にいるのだ。

この家の前にくるまでは、この家のベルを押すことは別段不可能とは思われなかった。だが、こうして、いざ西井家の前に立つと、さすがにためらわずにはいられなかった。

自分の家を訪れた日の、西井紀美子の、あのおずおずとした表情が思い出された。あの紀美子の胎内には、小さな命が芽生えていたのだ。紀美子が、どんな思いで真木家を訪れたか、わかる気がした。恐らく紀美子は、日夜悩み苦しんで、そのあげく訪ねてきたにちがいない。必死な思いで、満身の勇をふるって、訪ねてきたにちがいない。表札の雪をそっとなで、その文字を確かめていた紀美子の姿が目に浮かんで、弘子もまた、西井市次郎と書いた表札に手をふれた。

その時、横あいから、

「あの……何かご用ですか」

と、買物かごを下げた青年が、不審そうに声をかけた。

「ええ、あの……」

弘子はこの家の息子らしい青年に、どぎまぎして頭を下げた。

「あ！　あなたは……」

青年の表情が門灯の下にこわばった。西井治だった。

「あの、わたくし、真木の……」

「知っています」

さえぎるように冷たくいい、

「何の用です」

と、咎めるまなざしになった。

治は、真木家を訪ねた帰りに、道ですれちがった弘子の美しい目を忘れてはいなかった。しかも、あの時すぐに、紀美子の葬式に来ていた人と志村芳之から聞かされ、あるいは妹の友人かと思って覚えていたのだ。それだけに、昨夜芳之から、あの娘は真木栄介の妹と聞かされた時のやりきれなさは大きかった。何か二重に裏切られたような思いだった。

「あの……お詫びに伺いました」

「お詫び？」

治の暗い目に、冷笑が浮かんだ。

「ま、外に立っていては、ぼくが寒い。お入んなさい」

治は玄関のドアを開けた。一坪程の玄関の片側に、栗色の下駄箱が置かれ、その上に夕刊が、投げこまれたままの形で上っていた。埃の浮いた男物のサンダルが一足あるだけの、何か寒ざむとした三和土《たたき》に、弘子はうなだれて立った。

「ところで、お詫びって、何のことです」

　治は、雪のついた長靴をぬいでスリッパにはきかえると、弘子を見下ろしていった。

「紀美子さんのことで……兄が……本当に申し訳もありません。まだお参りにも伺わないそうで。……わたくし、一言お詫びを申し上げたくて……お伺いしました」

「なるほど、一言ですむことなんですね」

「いいえ、そんな、あの……」

「とにかくあなたが一言あやまれば、ぼくたちは、わざわざお出でくださってと、感謝すると思ったわけですか」

　底意地の悪い口調で、治はゆっくりといった。

「ごめんなさい。わたくし……。とにかくお詫びしなければと……」

「ところで伺いますがね。あなたは紀美子に会ったことがあるんですか」

「ええ、一度だけですけれど」

「いつです？」

「亡くなられる前の日だったと思います」

「どこで？」

「わたくしの家の玄関で……」

「なるほど。紀美子はあなたの家の玄関で、こんなふうに、あの男に冷たくあしらわれていたわけですか」

弘子はうつむいた。

あの夜、栄介は大声で、

「何しに来た！」

と頭ごなしにどなったのだ。紀美子はその冷たい言葉を浴びながら、じっと玄関に立ちつくしていたのだ。血の気のない紀美子の顔が、痛ましく浮かんでくる。

「君も、あの男と一緒になって、紀美子をいびったのですか」

「まさか、そんな……」

「じゃ、黙って傍で眺めていたのですか」

「いいえ、取次に出て、そして兄が玄関に行って……」

「なるほど。それじゃ、君は紀美子に何も悪いことをしなかったわけだ。悪いのは、あの男だ。あの男が悪いのに、なぜ君があやまりにきたんです？」

「……でも、わたくしの兄が非情で、わたくし……お詫びしないではいられなかったんです」

「わからない人ですね、君も。悪いのはあの男だ。としたら、その悪い男がなぜ謝罪に来ないんです？　それとも、あの男はのへっとしていても、妹の君が謝まれば、それであの男の罪は消えるとでも思っているんですか」

「いいえ、そんな……。ただ、わたくしとしては……」

「別段、紀美子の死と何の関係もない君が謝まったって、問題の解決にはなりませんよ。いくらきょうだいだからといって、兄の罪を妹が謝まればそれでいいなんて、そんな甘いものじゃないと、ぼくは思う」

「…………」

「悪い奴が謝まればいいんだ。無論、本当に悪かったと、両手をついて謝まってもらったからといって、紀美子が生き返るわけじゃないが……。しかし、せめてそれくらいのことをするのが、人間というものじゃないですか」

「……すみません」

「あなたが謝まることはないといっているんだ！」

　癇に障ったように、治は声を荒げ、

「いくら君があやまっても、当の本人は、のほほんとしてるんだ。許してほしいなどとは、これっぽっちも思っちゃいないんだ」

「…………」

「許してほしくもない人間を、ぼくたちはどうしたらいいんです？」

「………」

「悔いる気のない人間を、神だって許すことはできないはずだ」

「………」

「どうぞお帰りください」

　もはや、言葉に出して何をいう術も弘子にはなかった。西井治のいう通りだった。栄介の罪は、栄介自身が悔い改め、謝罪する以外には、許されることがないのだ。兄が悔い改めなければ、西井家の人々は許しようもないにちがいない。刑務所に入るのは、罪を犯した本人であって、その妻や子や、親きょうだいが身代りに服役できないのは、いうまでもないことである。罪とは、そのような、あいまいさの許されぬ恐ろしいものなのかも知れない。

　うなだれて、じっと立ちつくしている弘子に、治はいった。

「君、君は、目には目をという言葉を知っていますか」

「ええ」

「ぼくはあいつに妹をうばわれた。とすれば、ぼくがどうすれば目には目を以て報いることができるか、君はわかるだろう」

ハッと顔を上げた弘子は、治の激しい目の色に思わず一歩下った。

「取って食おうとはいいませんよ」

治はかわいた声で笑い、

「さあ、帰ってください。ぼくはこれから、三人分の夕飯の仕度をしなきゃならないんだ。紀美子が死んだからね」

「……あの、わたくしでよければ、お手つだいさせてください」

「結構です。じゃ、失礼！」

新聞紙にくるんだ長ねぎののぞいている買物籠を持って、治はさっさと部屋に入った。

紀美子に供える果物の包みを上りがまちにそっと置き、弘子は西井家の玄関を出た。刺すような風が、さっきより強くなっていた。

風　貌

「弘子は熱があるのか」

洋吉はコーヒー茶碗を持ったまま、ぼつりといった。白いレースのカーテン越しにも、朝の日を乱反射する雪がまぶしいほどだ。

「いいえ、七度二、三分とかいっていましたよ」

背を向けたまま、抑揚のない声で勝江は答えた。

「七度二、三分か。じゃ、朝飯を食べたくないという程の熱じゃないね」

「ゆうべ、おそく帰ってきたから、ごはんを食べるより、眠っていたんですよ、きっと」

　勝江は真っ白なふきんを、ふきんかけに一枚一枚ていねいにかけている。

「夜おそくまで歩いていて、風邪をひいたのかね」

「そんなところでしょう」

　昨夜、十一時過ぎに弘子は帰宅した。洋吉はテレビを見ていて、まだ起きていた。弘子の目は、泣いたように赤く充血していた。ゆうべから気にかかっていたが、熱を出したと聞いて洋吉は昨夜の弘子の様子が俄かに気になった。

「勝江、弘子には誰か好きな男でもいるのかね」

「いてもいい年頃ですけれどね」

「弘子はことしいくつになる？」

「二十三ですよ、まだ」

「そろそろ、嫁にやらなきゃなるまいな」

「そう急ぐことはありませんよ」

「しかし、ゆうべあの子は泣いていたよ」

「それがどうかしましたか」

勝江がちょっとふり返った。

「……どうかしたかって、年頃の娘が泣けば気になるじゃないか」

「年頃の娘が、一度も泣かなかったら、そのほうが気になりますよ。あなた、娘というものは、笑ったり泣いたりするものですよ」

「そうかね。お前は相変らず動じない奴だ。それじゃ何か、お前も娘の時は泣いたり笑ったりしたのかね」

「泣かしてくれる人がなかったから、別段泣きもしませんでしたけれど」

洋吉はたばこに火をつけながら、勝江という女は本当に涙というものを知っているのだろうかと思った。

栄介と不二夫は、既に勤めに出たあとである。学校が冬休みの洋吉は、勝江とのおそい朝飯を、今食べ終ったばかりだった。

「さて、わたしもお茶をいただきましょうか」

勝江は洋吉に向い合って、ソファに腰をおろした。

「お前ね、もし弘子が、あの娘さんのように自殺などしたら、どうすると思う?」

「弘子は自殺などしやしませんよ。おや、茶柱が立っていますよ」

勝江は湯のみの中をのぞいた。

「そりゃあ、自殺はしないだろうさ。もし、仮にそうなったら、どうするかね」

「その時にならなければ、わかりませんよ」

「わたしは耐えられないだろうと思うな」

「弘子がかわいそうでですか。それとも、自分の体面を考えてですか」

　痛いところを突かれて、思わず洋吉は妻の顔を見た。が、勝江は自分が痛烈な言葉を夫にいったとも思っていないらしく、表情には何のけわしさもない。いつも勝江はこうなのだ。自分の妻でありながら、深い淵のようにその心の底がわからないのだ。ひどく不透明なのだ。が、透明すぎて、わからなくなるのかも知れないと思うこともある。

「無論、弘子がかわいそうで、耐えられないだろうと思うよ。西井さんもとんだ正月だ。お気の毒だな」

「あなた、これで三十二回ですよ」

「何が？」

「西井さんがお気の毒だと、元旦の日からいいつづけですよ。何回いうか、わたしちゃんと数えていましたのよ」

　勝江はうまそうに茶をすすった。洋吉が手を鼻にやった。

　西井紀美子の父親を、妻の勝江は気の毒だと思ってはいないのだ。西井市次郎を気の毒だといった夫の言葉の回数を、面白半分に数えている女なのだ。真木洋吉は視線を庭に向けた。まばゆい雪に庭木が蒼く影を曳いている。

「あなた」

勝江も庭に目をやった。

「何だね」

勝江の無情をうとましく思いながらも、洋吉はやさしく答えた。

「もう十年たったら、あなた六十五になりますよ」

「そうだな」

「二十年たったら、七十五歳ですよ」

「それがどうした？」

「わたしは七十二になるでしょう」

「まあ、そういう勘定だね」

さすがの勝江も、老後が不安なのかと、洋吉は勝江の顔を見た。血色のよい赤い唇である。栄介の唇はこの母親似なのだと、洋吉は思った。

「あと二十年も生きるのは、退屈ですねえ」

「退屈？　お前でも、退屈かね」

「退屈ですよ、あなた。今でさえ退屈なのに」

「しかし、お前は、毎日実によく働いて、退屈するひまなど、なさそうじゃないか」

働き者の勝江は実によく働く。洗濯も掃除も料理もうまい。鉢の葉蘭の一枚一枚さえ毎日拭いて、見事なつやを与えている。何の手落ちもない主婦なのだ。

「あなた、退屈だから働いてるんですよ」

「退屈だから？」

「そうですよ。生きてるって、退屈なことじゃありませんか」

「なるほどね。お前のように何の感動もない人間じゃ、人生は退屈だろうな。何の問題もない毎日を、生きているようなものだからね」

栄介が西井紀美子を自殺に追いやったと知った幾日か、洋吉は容易に眠られぬ夜がつづいた。それは、先程勝江に指摘されたように、教育者としての世間への体面や、地位に対するおもわくもあったが、決してそれだけではなかった。やはり、何より紀美子の家庭のことが、自分なりに思いやられて眠られなかったのだ。

だが勝江は、枕に頭をつけるや否や、軽い寝息を立てて寝入った。眠られぬということは、勝江にはない。勝江にとっては、どんな問題も、問題にはならないのだ。毎日がすべて、何という事もない退屈な日々なのだ。

洋吉の言葉に、勝江はちょっと皮肉な微笑を浮かべたが、

「わたしも、生きるのに飽きたら自殺でもするかも知れませんよ」

「つまらぬ冗談をいっちゃいけない」

「冗談？　あらそうですか。冗談に聞えますか、あなたには」

洋吉は黙って、鼻をこすった。勝江という人間は、案外、買物にでも行くような気持で、あっさりと自殺することがあるような気もする。

「勝江は、おかあさんがいくつの時に生まれたんだ」

洋吉は話題を変えた。

「四十の時の子供ですよ」

勝江の母のタキは、十五年ほど前七十七で死んでいる。勝江と同じように、よく働く母親だったが、勝江のように無感動な性格ではなかった。新聞記事ひとつ読んでも、

「まあ！　どうして、こんなむごいことをねえ」

と、涙をこぼして同情するやさしさがあった。

「いいおかあさんだったな」

「そうですか」

そっけなく勝江はいって、急須《きゅうす》をなでている。勝江は結婚してから今まで、自分の家族

のことをあまり語ったことがない。それでも、勝江が女学校の時に死んだ父のことや、シンガポールで戦死した長兄のことを、ぽつぽつ語ることもあったが、母親のことは、聞かれなければ自分から話すことはなかった。だが、そのことを洋吉は別段怪しむことはなかった。勝江は、何ごとにも無関心に見える女だったからだ。

「そうですかって、お前はいいおかあさんだったと思わないのかね」

「自分の親を、いい人間だなんて……」

急須と茶碗を盆にのせて、勝江は立って行った。

勝江は四人きょうだいの三番目で、兄二人妹一人がいた。次兄は函館で花屋をしており、妹は東京に嫁いでいる。父親は、裁判所の書記をつとめていた実直な男だった。

台所に立って、勝江は食器棚の整理をはじめた。

(退屈だから、働くか!)

夫の自分と話をしているのも退屈なのかと、洋吉は味気なかった。

弘子がひっそりと、エンジのガウン姿で二階から降りてきた。

「お早うございます」

「ご飯を食べるの」

勝江が抑揚のない声でたずねた。

「具合はどうだ？　弘子」

「ありがとう、お父さん。ちょっと寒気がしただけよ。大したことはないの」

弘子は、台所の隣の洗面所に入って行った。

「何か、あたたかい物を食べさせてやるんだな」

勝江は返事をしなかった。洋吉はまた鼻をちょっとこすったが、勝江がガス台に鍋をかけた姿を見て、再び庭に目をやった。雀が二つ三つナナカマドの木にいて、枝の雪をこぼしている。

二十年後には七十五になるといった、先程の勝江の言葉を洋吉は思い返した。終戦はつい昨日のことだと思っているが、あれからもう二十年余りもたったのだ。二十年といっても、ほんのまたたく間ではないか。あの時三十五だった自分が、今は五十五歳、そして、またたく間に七十五歳になるのだ。そう思うと洋吉は、人の命はひどく短いものに思われた。

五十五歳といっても、二十年前の三十五歳の自分とは、それほど変ったとは思ってはいない。多分七十五歳になっても、気持は今と変らないにちがいない。今と変らないということは、三十五歳の時の自分と、変らないということでもある。気持だけが三十代と同じで、肉体が老いて行くというのは、残酷な気がした。

ちらっと、養護教師の赤田典子の顔を思った。赤田典子は、四十近いが離婚していて独身である。そばかすの浮いた白い顔が、妙に肉感的な感じに見える女だった。別に、どうという間ではない。疲れた時にビタミン剤を注射してくれるだけである。

（校長をやめるのは六十か。まあ、食ってはいけるが）

教師は五十五歳が停年ではない。それが救いだと思う。しかし、あと五年すれば、いやでも勇退しなければならない。

洋吉は退職金のことを考えた。今の手持ちの金の何分の一かの額だ。五千五百万ほど、洋吉は持っている。一部で電力株と社債を買ってある。利子だけで、充分ゆっくり食っていけると安心はしていた。

が、中学校長という椅子を降りた自分を想像するのは淋しかった。多勢の生徒や教師の前で話をする生活に馴れている自分が、ひっそりと庭の手入れをしながら、一日中ほとんど誰にも会わず、話すこともないというのは、思うだけで淋しかった。それは、もはや誰もが、この自分を必要としないことを意味するのだ。停年間際に、人妻と恋愛問題を起した先輩の校長の気持が、わかるような気もする。洋吉は再び赤田典子の白い顔を思い浮かべた。

洗面を終えた弘子が部屋に入ってきた。

「お父さんのところで、お上りなさい」

小さな土鍋を、クリーム色の鍋つかみで持ち、勝江は運んできた。

「あら、わたしが運ぶわ。お母さん」

「じゃ、お茶碗とスプーンを持っていらっしゃい」

洋吉の前にきて、弘子はチェアーに腰をおろした。弘子は洋吉にちょっとほほ笑みかけながら、土鍋のふたをとった。ほうほうと白い湯気が上り、卵を落したおじやの香りが漂った。

「うまそうだな」

弘子の風邪を気にもとめないように見えながら、勝江はちゃんと温かいものを用意している。それは弘子への心やりか、働き好きのためか、洋吉にもわからなかった。

焼きのりと梅づけ、そして黒豆の甘煮を勝江は卓上に並べた。雑炊の中には、鶏肉のほかに、ごぼうと三つ葉が入っており、一口ほどの小さな餅が二つあった。

「うまそうだな、弘子」

洋吉がまたいった。

「少しあげましょうか、おとうさん」

「いや、いいよいいよ」

「雑炊は、体があったまりますよ」

キッチンから、勝江がいった。

「本当ね」

マニキュアのない弘子の指の爪が、桜色だった。その桜色の爪を見ながら、洋吉は、弘子をふろに入れてやっていた頃のことを思い出した。肉づきのよい、しかし洋吉の両手で覆われてしまうような背に、シャボンをつけて洗ってやったものだった。すべすべとした幼い日の弘子の肌の感触が甦った。

「うまいか、鳥雑炊は」

「おいしいわ」

「うまければ、風邪はすぐなおる」

弘子はうなずいた。

「弘子には、ボーイフレンドはいるのか」

昨夜の弘子の、泣いたような目が、やはり洋吉には気がかりだった。

「お茶を飲みに行く程度のお友だちはいるわ」

「一人か」

「局には、男の友だちは何人もいるわ」

「何人も?」

「心配なの？　おとうさん。手紙をくれる人もいるわ。わたしだって二十三の娘だもの」

洋吉の少し不安そうな表情に、快活に弘子はいった。

「特定の人はいないのかね」

「いるような、いないような……」

雑炊をスプーンでかきまぜながら、弘子はいった。

「ゆうべは、その人と一緒だったのか」

「ゆうべ？」

かきまぜていたスプーンの手がとまった。

「ああ」

弘子は長いまつ毛を二、三度またたかせた。

「わたしがゆうべ、どこに行ったか知りたい？」

「まあね。何となくお父さんは気がかりなんだ」

「泣いていたような顔だったからでしょう？」

「うん、ま、そういうことかな」

弘子にみつめられて、視線を外らした洋吉はタバコに火をつけた。

「それでボーイフレンドのことが気になったのね」

「……ちょっとばかりね」

「わたしが彼氏に捨てられたと思ったのね」

聞えているのか、いないのか、勝江は台所でスプーンをみがいている。

「いや、そうでもないが……」

「お父さん、世の中には、お兄さんのような男ばかりがいるとは限らないわ」

「そりゃまあ、そうだろう」

「わたし、あんな兄を持って恥ずかしいわ。お父さんは恥ずかしくない？」

「困った奴だよ、あいつは、全く……」

「お母さんは恥ずかしくない？」

勝江は返事をしなかった。

「わたしね、お父さん。きのう西井さんのお宅に伺ったのよ」

「なに!?　西井さんに？」

洋吉はタバコを、灰皿に強くおしつぶした。

「そうよ」

「何しに？」

「何しにって、お参りによ。当り前じゃないの」

「それはそうだが」

「手をついてお詫びしたいと思ったのよ。でも、お参りさせてはくれなかったわ」

「…………」

「目には目を、と言う言葉を知っているかといわれたわ。いわれても無理がないと思うわ」

「早く食べなきゃ、せっかくのおじやがさめますよ、弘子」

　勝江がうながした。弘子はスプーンを口に運びながら、西井家に行った昨夕のことを、とぎれとぎれに話しはじめた。

「なるほど、それで、ゆうべ、あんな顔をしていたというわけか」

「わたしね、つくづくきょうだいって、一体何だろうと思ったわ。わたしは、お兄さんのような人を、自分の兄に持ちたいとねがって生まれてきたわけじゃないのよ」

「当り前ですよ、弘子。誰だって、この人を親にしようとか、この人をきょうだいにしようと思って、生まれてきたわけじゃありませんからね。ぜいたくなことをいうもんじゃありませんよ」

　珍しく勝江の言葉には、感情がこもっていて、洋吉と弘子は思わず顔を見合わせた。栄介を生み育てたのは、ほかならぬ勝江なのだ。栄介を責められれば、さすがの勝江も、自分を責められているような不快を感じるのかも知れない。だが、それにしても、ふだん何事にも動じない勝江には、ないことであった。弘子も洋吉も、ちょっと押し黙ったが、弘子はいつのまにか空になっていた土鍋と食器を、キッチンに下げた。

「お母さんが洗うから、そこに置いておきなさい」

何事もない表情で、勝江はいった。再び洋吉の前に戻って、弘子は低い声でいった。

「ね、お父さん。わたしの一番仲のよいボーイフレンドと、西井さんの従兄の新聞記者は、お友だちなのよ。ボーイフレンドは、お兄さんのことも、みな聞いたらしいわ」

「そうか、それは拙いね」

「仕方がないわ。今日、そのボーイフレンドと……今野さんていうんだけれど、その人と夕食を一緒にする筈だったのよ」

「風邪を引いたほうが、よかったかな」

「よかったわ。でもね、お父さん。そんなことより、西井さんのおうちは、あの紀美子さんが死んで、お父さんとお兄さんだけなのよ。炊事をするのは、お兄さんなの。玄関に入っただけでも、男世帯の寒ざむとした感じがあるわ」

「気の毒だな」

「でしょう？　わたし、今度、土曜と日曜は押しかけて行って、掃除や洗濯をして上げようかと思うのよ」

「しかし、それは、どうかな。ありがたいとは思わないだろう」

「でも、とにかく黙って見ていられない気がするのよ」

　弘子のまなざしは真剣だった。が、洋吉はあの夜訪ねて来た西井治の暗いまなざしを思った。

「いや、それはやめておいたほうがいいだろう。お前が栄介の妹だと思うだけで向うさんは腹が立つだけだよ」

「じゃ、どうしたらいいのよ、お父さん。わたしだって、お兄さんが、少しは申し訳ないという顔をするんなら、ここまでやきもきしないわ。お兄さんったら、自分の子供を妊《みごも》った女が死んでも、どこ吹く風じゃないの」

「うむ」

　困ったような洋吉は腕を組んだ。

「ね、お父さん。紀美子さんのおなかの赤ちゃんは、お父さんの初孫だったのよ」

「初孫？」

「そうよ、そういうことでしょ」

　いわれて洋吉ははっとした。

「なるほど、なるほどなあ……」

お茶をいれに、勝江がそばにきた。

「わたしたちの初孫だよ、勝江」

洋吉が感動した面持ちでいった。

「何がです？」

「いや、西井さんの娘さんのおなかにいた赤ん坊がさ」

「栄介の子供だからですか」

「そうさ、あの娘さんが死んだことは、われわれの孫も死んだことなんだ」

「だから、どうだっていうんです」

「わたしたちの孫が死んでも、お前は何とも思わないのかね」

「あなた、日本の女性のうち、三人に一人は堕《お》ろしているそうですよ」

別のことをいって、勝江は湯のみに茶を注いだ。弘子はおどろいて母を見た。

「お母さん、そんなにたくさんの赤ちゃんが死んで行くのを、かわいそうだとは思わない？」

「生まれてきた人間のほうが、かわいそうかも知れませんよ」

いい捨てて、勝江はまた台所へ立って行った。

「そうですか。目には目をなんて、君にいったの？　大人気ない奴だなあ、その男も」

松ノ内とも思えない暖かい夜だ。屋根の雪がとけているのだろう。軒から、流れるように雪の雫が落ちている家がある。街灯に照らされて、光がこぼれ落ちているようだ。

レストラン、トロイカを出た今野と弘子は、電車通りを真っすぐ駅に向って歩いていた。信号が黄色になって、二人は立ちどまった。

「でも、兄のような男のために、妹さんは自殺したんですもの。ああもいいたくなるのは、ふしぎはないわ」

「真木君って寛容な人だね」

今野は弘子の横顔に微笑を向けた。黒いフードつきのオーバーが、弘子によく似合う。

「いいえ、寛容というのではないと思うの」

弘子は、四百メートル程先の、札幌駅の電光ニュースが、レモン色にきらめきながら左に流れて行くのを見つめた。

「道南ハフブキニナルデショウ」

今野もそれに目をとめて、

「寒くない？　真木君。風邪のあとだから、気をつけないと……」

「大丈夫よ。風邪なんか半日でなおったの。……それに、わたし本当は風邪で休んだのじゃないの。今野さんの顔を見るのが、何となく辛かったのよ」

「どうして？」

　信号が青になった。右手の車道を、どの車も何かに憑《つ》かれたように走り過ぎて行く。

「どうしてって、志村さんがあなたと友だちだって聞いたんですもの……」

「それで恥ずかしかったというわけ？」

「そうよ。きっと、今野さんは、志村さんから兄のことを、いろいろお聞きになっただろうと思って」

「しかし、それは君自身のことじゃないもの。気にしなくてもいいと思うよ」

「ええ、それはそうよ。あのね……何といったらいいのかしら。わたしが直接、兄のことをあなたにいうのならいいのよ。そうじゃなくて、今野さんが志村さんから兄のことを聞いていらっしゃるということね。それが、わたしにはいやっていうのかしら、恥ずかしいっていうのかしら、そんな気持だったの」

　ちょっと眉根をよせながら話す弘子の、その言葉には親しみがこもっていた。

「なるほど、そうか。いや、そうだろうな」

「だからわたし、休んじゃったの」

　ちょっと肩をすくめて、弘子は今野を見上げた。そんな弘子を、今野はかわいいと思った。

　電車と電車が、警笛を鳴らしてすれちがった。二台とも満員だった。車内の明るい灯の下に、押し詰められた人々の顔が、どれも疲れて見えた。

「楽しそうな顔って、少ないなあ」

「そうねえ。わたしも多分、楽しくない人間の一人かも知れないわ」

「そうか。君は今、楽しくないということか」

「でも、それは、今野さんといるからということじゃないわ」

ちょっと立ちどまって、弘子は今野を見た。その今野の肩幅を広いと弘子は思った。

左手の細い暗い階段から、男が五、六人、ドヤドヤと降りて来た。

「妻をめとらば才たけて……」

一番先に降りて来た男が、今野と弘子を見て、すっとん狂な声をあげた。

「みめ、うるわしいぞう」

他の男が、弘子のほうによろけてきた。四十過ぎた男たちだった。今野は弘子をかばうようにして、そこを通りすぎた。

「あの連中も、楽しいとはいえないかも知れないね」

「そうね。お酒を飲んで無理に楽しがっているみたい。……ね、楽しいって、本当はどういうことなのかしら」

「むずかしいね、そう問い直されると」

弘子の歩みに合わせて、今野はゆっくりと歩きながらいった。素通しの大きな一枚ガラスの向うに、若い男や女が、向い会っている軽食喫茶店の前に二人は来た。

「この中の人たちは、楽しそうに見える？」

それぞれのテーブルの真上に、赤い傘の電灯がついていて、みんなコーヒーを飲んだり、フォークやスプーンで何か食べている。

「楽しいという言葉を、ぼくらは意外とあいまいに使っていることがわかったよ。飲食している姿って、楽しく見えるけれど、この中にいる人が皆、楽しいとは限らないからね」

「本当ね。ね、今野さん、楽しいということと、幸福ということと同じかしら」

「さあ、ちがうような気がするな。不幸な人間だって、笑うひと時もあるだろうよ」

「そうね、笑っているから、楽しいということでもないわ。去年、叔父の葬式で、火葬場にいったの。叔父の息子たちは、焼き終るのを待つ間中、お酒を飲んで冗談いって、笑ってばかりいたわ」

「ああ、わかるなあ、その気持」

「ね、わかるでしょう。今、自分の父親が火の中で燃えているんだと、じっと、その事実を考えることなんか、できないのよね。わたしね、最初は笑ってばかりいる従兄たちを見ていて、腹が立ったの。でも、だんだん、胸がじーんと痛くなったの」

「なるほどなあ。楽しいとは何か、笑うとは何か。子供の時の、明日は遠足というあの気持は、純粋な楽しさだろうね。喜ばしさの期待で満ちているからね。ところが大人になると、明日、どんな悪いことがあるかわからないという、不安にとりつかれる」

「そうねえ。子供の時の遠足だって、雨が降りはしないかという、心配もあったけど……」

二人は、銀行の暗いビルの下を歩いていた。向い側の書店が、ひどく明るく見えた。

「しかし、大人になると、不幸の顔を知ってしまっているよ。明日への楽しい期待より、明日への不安のほうが多いのじゃないかと思うよ」

「そうね、それはそうね。わたし、あの西井紀美子さんが、突然家に現われた日から、調子が狂ってしまったわ。あなたとおひるの食事をしている時、突如、テレビであの人の自殺を知ったでしょう。あなたとさっき、すき焼をつつきながら、ひょっとして、この楽しい最中に、いやな出来事が起りはしないかと、ふっと不安になったわ」

日航ビルの横に、今到着したばかりらしいバスが二台とまっていて、スーツケースや、白いビニールの袋などを下げた人々が、ぞろぞろと降りていた。その向うに、北海道庁の正門と、赤レンガの庁舎が、暗がりの中でも見える。

「あの人たちの中にも、飛行機が落ちやしないかと、不安だった人が多いだろうね」

「そんな不安感って、いやねえ。何が起るかという不安で毎日を暮らすなんて、いやだわ」

「じゃ、あしたは何かうれしいことが起るかも知れないって、考えることにしたら？　いや、これは浅薄な考え方だな」

今野はちょっと黙った。

「そうかしら、浅薄かしら」

少しして弘子がいった。

「ああ、浅薄だろうね。人生は、いいことも悪いこともあるんだからね。明日に何が待っているかを、一喜一憂するというのでは、地に足をついた生き方は、できないことになると思うよ」

「じゃ、どうしたらいいの」

「問題は、何が起るかということに重点を置くのではなくてね。何が起きようと、とにかく、いかに生きるかという、生きる姿勢に重点を置くべきじゃないのかな」

「生きる姿勢？」

弘子の歩みが少し遅くなった。

「そう。ぼくにも確たる生きる姿勢はないけれどね、とにかく生きる姿勢の確立がなければ、一喜一憂をつづけるより、しかたがないだろうねえ」

遅かった弘子の歩みが、ピタリと止まった。弘子は今野にささやいた。

「兄よ、あれが！」

いま、菓子舗ニシムラのドアを開けて、入って行った男女の姿を弘子は指さした。毛皮の衿のついたコートを着た、細い女とつれ立っている鼻筋の通った青年の横顔に、今野は目をとめた。一見酷薄な感じには見えない。むしろ、洗練された青年という印象だった。

「あの人か」

なるほど、志村がいったように、酒の広告のポスターに出ていたテレビ俳優に似ていると、今野は思った。女に好かれる風貌だった。

「いやだわ」

外から店の中がよく見える。店の中は客が混んでいた。栄介はその中で、ひときわ立ちまさって見える。オーバーのポケットに手を突っこんだまま、栄介は女の言葉に、只うなずいているだけだ。女は自分で何かを注文し、自分のバックを開いた。金も女が払うらしい。

「いやだわ」

歩き出してから、もう一度弘子はいった。

「悪い感じの人じゃないよ」

「ちょっと見たところはね」

軽く下唇をかんで、弘子はうつむいた。

札幌駅をすぐ前に、角の果物店を左に曲ると、電車線もまた同じように左に折れている。

「疲れない？　真木君」

「大丈夫よ。今野さんこそ疲れないかしら」

「君の家まで歩いて行っても、大丈夫だ」

「まさか。手稲よ、わたしの家は」

「君の家を見たいな」

今野は、栄介のことには触れなかった。その心づかいが弘子にはうれしかった。

「家は、割合見せられるのよ。でも、問題はその中に住む人間の生活よ」

せっかく今野が栄介に触れまいとしても、やはり話は元に戻った。

「どこの家も、似たりよったりさ。人には聞かされない話を、それぞれかかえて生きている筈なんだよ、どこの家だって」

「そうかしら」

弘子は首をかたむけた。それが弘子を幼く、初々しく見せた。

「じゃ、今野さんにも、人には聞かされない話があって？」

「ぼくの家は、今のところ平凡だけれどね。しかし、それは現在の家庭内の話であって、明日はどうなるか、わからない」

いたわり深い今野の声音だった。

「でも、今は平穏無事なわけでしょう」

「真木君、人間の生活を、あまり近視眼的に見てはいけないよ。平穏に見えても、二代三代前には何があったか、わからないわけだからね」

「ありがとう、今野さん。今野さんって、優しいのね」

「そういわれると、ちょっと照れるけれど……」

今野は立ちどまって、弘子を見た。

「あのね、真木君」

「なあに」

「いや、何でもない」

今野はまた歩き出した。

「なあに？　気になるわ」

本局の通用門から、速達便の配達か、赤いバイクに乗った局員が、飛び出して行った。

「いや、西井家の息子の言葉が、ちょっと気になってね」

「ああ、あの、目には目をといったこと？」

「そう。目には目をという言葉は、あれはイスラエルの律法の言葉だったね」

「あら、そうなの？」

「確かその筈ですよ。人間というものは、人によっては執念深いからね。目をつぶされたら、その報復のために殺すということもあったらしい。それで、目を取られたら目を取っただけで、やめておけ。指を折られたら、指を折るだけでやめておけ。それ以上のことはするなということだったらしいね」

「あら、知らなかったわ。じゃ、目を取られたら、目を取ってやれということとは、ちょっとちがうわけね」

「多分ね。それが、今では目には目をというと、必ず復讐せよという、何か凶暴な感じの言葉になってしまっているでしょう」

「そうね。こわい感じね」

「だからね、西井家のその男は、何を考えているのかなって、思ってね。君のお兄さんが、彼の妹にした通りのことを、まさか、彼も君にしようということじゃないだろうね」

「そんなことないわ。紀美子さんは兄を好きになったわけでしょう。わたし、あの人を好きにはなれないわ」

「でもね、真木君、好きにならなくても、彼は君に何をするか、それはわからないといえるんじゃないかな」

「何をするかって?」

「……だからね、真木君、君は妙に責任を感じて、炊事や洗濯を手伝うなんて、やめてほしいんだ」

「……でも」

「真木君、君はまだ、男の恐しさや、いやらしさを知っちゃいない。君は君のお兄さんを憎んでいるけれど、男なんて、一枚皮をはぐと、みんな似たりよったりだと、ぼくは思うよ」

「まあ! 兄と似たりよったりなの?」

植物園の暗い木立の中に、通りから雪が仄白《ほのじろ》く見えた。このあたりは、人影もほとんどない。

「そう」

「今野さんも?」

「似たものですよ。ぼくだって。いやらしさが一杯つまっている」

「うそよ。今野さんは、兄のようないやらしさは全くないわ。むろん、冷酷でもないわ」

「いやに信用があるんだなあ」

今野はちょっと笑った。

「兄と今野さんは、月とスッポンよ」

「だけど、ぼくだって、君と、もしこの暗い植物園の中へ入ったとしたら、どう変るかわからない」

「変らないわ、今野さんは。今までずっとおつきあいしてきたけれど、他の人とはちがうわ。とても、あっさりとしていて……全然いやらしくはないわ」

「どうも困ったなあ」

「どうして？」

「君はぼくを、信用しすぎているからさ」

「あら、信じてはいけないの」

「いけないというわけじゃないが、ぼくは、ごく当り前の男ですからね」

「でも、今野さんは、他の男の人のように、すぐに握手しようと、手を出したりもしないわ」

「それだけ、ぼくは君に野心を持っているということかも知れない。気をつけないといけないですよ」

「まあ、今野さんて、おもしろい方ね。信用されまいとなさるなんて」

　弘子は声を出して笑った。

「あ、話が外《そ》れてしまった。とにかく、君はあの家に家事手伝いに行くことだけは、やめてほしい。いいですね」

「……そんなにおっしゃるんなら、考えてみます」

「ありがとう」

今野は立ちどまって弘子を見つめた。近くの街灯の光を斜めに受けて、弘子の目が生き生きと黒かった。今野は、まばたきもせずに弘子をみつめながら、何か考えているふうだった。が、

「真木君」

と、改まった声でいった。

「なあに?」

「……ぼくは野暮《やぼ》な男でね。どういったらいいか、わからないんだが……いつか、ぼくの縁談のことを君にいったね」

「ええ、……お決まりになったの、今野さん」

「決まったほうがいいと、君は思う?」

きびしいほどにまじめな表情で、今野は真正面から弘子を見つめつづけた。

「……お決まりになったら……」

弘子は視線を外らした。今野の傍らに、他の女性が並ぶ姿を想像した。ふいに、いいようもない淋しさを弘子は感じた。

が、弘子は黙って今野を見上げた。いおうとする言葉を、何かにおさえられるような感じがした。それが何であるのか、咄嗟にはわからなかった。

西井紀美子の顔が目に浮かんだ。彼女が自殺して、まだ四十日にもなっていない。にもかかわらず、兄の栄介はもう他の女と歩いているのだ。

「今野さん、お待ちになって」

弘子はそれだけいった。

クラクションを短く鳴らして、スポーツカーが走り過ぎた。

風　貌

脅迫者

脅迫者

「疲れたな」

着物に着更えた洋吉は、ソファに腰をおろすと、首をぐるりとまわした。

「でも、楽しかったんでしょう、おとうさん」

弘子が、壁の白い電気時計を見あげた。十時近かった。

「ああ、わたしが教師になって、初めて受け持ったクラスだからね。課長になったのや、大きな店を経営しているのもいて、愉快だったたな」

酒の入った頬が赤らんで、洋吉は上機嫌だった。

「あなた松畑先生は、教え子のクラス会に招かれた晩でしたよ。気をつけてくださいよ」

勝江はコップに水を持ってきて、テーブルに置いた。松畑という教師は、まだ四十前だった。クラス会に招かれた日の夜半、心臓マヒでぽっくり死んだのだ。洋吉はちょっと勝江の顔を見たが、会の話をつづけた。

「何しろ、奴らは働き盛りだからな。一応昔の思い出話が済むとね、誰も彼も、自分の仕事の話ばかりでね」

「そりゃ、あなた、仕事の話のできない人は、クラス会には来なかったでしょうからね」

不二夫が洋吉の背にまわって、肩をもみはじめた。

「……栄介は二階かね」

「まだ帰らないわ」

膝の上の画報から、弘子は目を上げた。

「超勤だそうですよ」

不二夫が器用な手つきで洋吉の肩をもみながらいった。

「お兄さんがいないと、ほっとするわね、不二夫兄さん」

「まあ、栄介もそのうちに、人並の人間になるだろう」

「そうかしら。お兄さんが人並になるかしら。ね、お父さん、人間持って生まれた性格って、そう簡単には変らないんじゃない?」

「いや、そうでもないよ、弘子。今日集まった連中を見てもね。内気で、人の顔も見られなかったような男が、こう大あぐらをかいてね、相場師なんだな。小豆の相場のことなど、とうとうとしゃべっていたよ。かと思うと、ずい分素直な生徒だったのが、すねたようなもののいい方をしていたりしてね」

「そういう変り方は、するかも知れないわ。でも、すねた性格の子が、素直になるという変り方は、あまりないでしょう?」

「だが、暴れん坊がおとなしくなるということもあるよ」

「じゃお父さんは、お兄さんも変り得ると思っていらっしゃるの」

「あいつは、結構会社では働いているらしいからね。時と所によって、わがままになるだけだろう」

「不二夫兄さんもそう思う?」

「さあ……。兄貴はどうかなあ」

「ねえ、そうよね。むずかしいわよね。いつもお金のことばかりいって。いつだったかしら、お父さんの預金高を銀行に問い合わせたとかって、いっていたじゃない?」

「本当かね、不二夫」

洋吉は鼻をこすった。

「弘子、あまり告口をしちゃいけないよ」

肩をもむ手をやめて、不二夫は弘子をたしなめた。

「ああ、あなた、お隣りの橋場さんが、今度東京に移られるそうですよ」

りんごをむいて持ってきた勝江が、弘子と並んで洋吉の向いにすわった。

「ほう、橋場さんがね。じゃ、家は売って行くのかね」

橋場は、昨年春、隣りに家を新築したばかりの会社員で、まだ四十前だった。

「いいえ、それがね、急なことで売るひまも何もないそうですよ。貸すにしても、妙な人に貸すと、売る時が大変だから困ったんですって。そしたら、あなた、東京にいる姪御さんが、札幌に住みたいっていい出して、向うのご両親が困っていらっしゃるんですってよ」

「橋場さんの姪じゃ、まだ十代位じゃないのか」

「いいえ、何でも二十五、六だっていってましたよ。わがままで、いい出したら後に退かない子だから、もしかしたらそのうちに来るかも知れませんって」

「ふーん、もし、そんな子が隣りに来たら、荷厄介だね」

「かまいませんよ。この家に来るというわけじゃありませんし」

「まあ、そうだろうな。お前は隣りの家に、何者が住もうと苦にしない人間だからね」

「あなたは、誰が住むか、わからぬうちから苦にしている性分ですしね」

確かにそうなのだ。この辺りは、今ようやく家が増えつつある地域なのだが、近所に家が建つごとに、洋吉は、あんな屋根の形にする建主は、変り者ではないかとか、あんな凝《こ》った家を建てるのは、気難《きむずか》しい性格ではないかなどと、いちいち気にしては勝江に笑われてきたのだ。

「ところで弘子、栄介は本当にわたしの預金高を銀行に問い合わせたのかね」

「問い合わせたと、自分でいっていたわ」

「そんなことをして、どうするつもりなのかね」

小さなフォークにりんごを突きさしたまま、洋吉は珍しく眉をよせた。

「そんなこと、わたしにはわからないわ。お兄さんにお聞きになったら？」

「いや、あれにはうっかりした口はきけんからな」

弘子は画報を閉じて立ち上った。と、その時電話のベルが鳴った。

「お兄さんからよ、きっと」

ちょっとためらってから、弘子は部屋隅の電話台に近よって行った。

「もしもし、真木でございます」

わざといつもよりていねいな語調でいった。

「あの、真木さんのお宅でございますね」

おずおずとした、女のか細い声がした。思わず弘子は、受話器を耳から離した。死んだ紀美子かと思った。

「……わたくし、イトカワミドリと申しますが、栄介さんいらっしゃいましょうか」

無論紀美子であるはずはない。ほっとしながらも、弘子は不安になった。

「はあ、兄はまだ帰宅しておりませんが……」

「では、恐れいりますが、お父さまかお母さまに、ちょっとご相談がございますので、お取次ねがえませんでしょうか」

ていねいな、しかし、どこか頼りなげな女の声に、弘子はふと、二十日程前の夜を思い出した。栄介と女が、ニシムラ洋菓子店に入って行く姿を弘子は見かけた。そして、女が金を出して菓子を買うのを、弘子はじっとみつめていた。細いがしっかりした感じの女だったような気がする。こんなか弱い声を出すのは、別の女ではないか。そう思いながら、弘子は洋吉をふり返った。

「お父さん、糸川みどりさんって、女の方よ。何かご相談ですって。お兄さんのお友だちらしいわ」

「栄介の奴……」

せかせかと洋吉は立ってきて、受話器をとり、とってから手のひらで受話器の端をおさえ、

「おい、勝江、糸川みどりさんって、お前知っているか」

と低い声で訪ねた。

「知りませんよ」

「そうか……困った奴だな、栄介も」

と、改まって、

「もしもし、わたしは栄介の父ですが……」

洋吉は受話器を強く耳に押しあてた。

「……あの、はじめまして、糸川みどりと申します。夜分おそくお電話いたしまして、申し訳ございません」

幾蔵ぐらいの女か、よどみのない挨拶であった。

「で、ご用件は？」

「……それは……」

糸川みどりと名乗る女は、ためらっているようだった。

「何でもおっしゃってください」

「……実は栄介さんが結婚するからとおっしゃって……あの……それは去年の春頃からのおつきあいですけれど……でも、この頃会社にお電話しても、忙しいとおっしゃって、会ってくださいませんし……」

「はあ、それで？」

「……申しづらいんですけれど」

女は黙った。女の困っている様子が目に浮かぶようで、洋吉は、

「ご遠慮なくお話しになってください」

と、再び促した。

「……あの……お腹の赤ちゃんのこともありますし」

「赤ちゃん⁉」

またかと、洋吉は顔に血ののぼるのを感じた。

「はあ、結婚できると思っていましたのに、そんな気はないとおっしゃって、おろせと叱るんですけれど……」

「はあ、それはどうも……」

紀美子のことがあったばかりだというのに、栄介は一体どんな気なのかと、洋吉は怒りがこみあげてきた。

「……でも、わたし、罪もない赤ちゃんをおろすのは、いやなんです」

女の声がちょっとうるんだ。

「じゃ、あの」

洋吉は困惑した。

「ええ、わたし生みたいと思います。それで、お電話ではご相談も申しあげられませんので、

二、三日中に学校にお伺いしたいと思いまして……」
「え？　学校にですか。それは困りますよ」

「はあ、でも兄が、学校に伺うといっておりますので……あの、よろしくお願いいたします」

「もしもし、ちょ、ちょっと待って……」

「はあ、あの、ああ兄が……」

ガチャンと電話が切れた。

受話器を持ったまま、洋吉は呆然と立っていたが、

「冗談じゃない、学校になど……」

と、つぶやきながら、ソファにがっくりと腰をおろした。

「お父さん、お兄さんがまた、女の人に赤ちゃんをつくったの」

電話の様子で、あらかたは弘子にも察せられた。

「ああ、困った奴だ」

「けだものみたいね、お兄さんって」

「ああ」

枕カバーに青い糸で刺しゅうをはじめた勝江の手もとに、洋吉は目をやった。

「人間はみな、けだものですからね。何もおどろくことはありませんよ」

勝江は枕カバーから目をはなさない。

「お母さん！」

弘子はたまりかねた。

「何です、弘子」

「何ですじゃないわ。お兄さんはまた、女の人に赤ちゃんをつくったのよ」

「だから、どうだっていうんです」

「お母さんは平気なの？　お兄さんのすることに腹が立たないの」

「何ですね、むきになって。弘子、栄介もだらしないけれど、相手の女の人にも責任のあることでしょう。結婚前の女が、男にそうやすやすと、肌をゆるすものじゃありませんよ」

「…………」

「どっちもどっちです。男と女のことは、双方の責任ですよ。片方だけの責任のようにガタガタいうのは、みっともない話だとお母さんは思いますね」

「じゃ、お母さんは、今度も黙って眺めていらっしゃるの」

「わたしたちのいうことをきく栄介じゃありませんからね」

「まあ！　無責任ね、お母さんも」

「人間なんて、責任の持ち切れる存在じゃありませんよ。みんなが選んだ政治家でさえ、公約不履行は通り相場じゃありませんか」

「じゃお母さんは、お兄さんを悪いとは思わないんですか」

「いいとは思いませんよ」

　勝江はいささかも激さない。

「弘子、お母さんを責めたって、仕方がないよ」

　不二夫はソファによりかかったまま、静かにいった。しきりに鼻をこすりながら、洋吉は、今の糸川みどりの言葉を思っていた。

「罪もない赤ちゃんをおろすのは、いやなんです」

　みどりはいった。その生んだ子を、みどりはどうするつもりなのだろう。誰にその子を育てさせようというのだろう。教育者の自分の家に、そんな子を連れてこられたとしたら、一大事ではないか。自分の立場は一体どうなるのだ。

　誰もが黙りこくった。

　弘子は誰に対しても腹立たしかった。煮え切らぬ父、無責任な母、非情な栄介、人を傷つけまいと気づかいすぎる不二夫、その誰もが不快だった。

　外で、バタンと車のドアのしまる音がした。勝江を除いた三人が、ハッと顔を見合わせた。玄関のドアが開き、そして乱暴にしまる音がした。栄介は一度として、静かにドアを開閉したためしはない。

「何だ、みんな起きてたのか！」

　オーバーを着たまま、のっそり入ってきた栄介は、大きなあくびをした。

「お帰り。ご飯は食べたの」

　勝江がようやく刺しゅうの手をとめた。

「ああ、とっくに」

「超勤かね」

　機嫌をとるような洋吉の語調だった。

「まあ、そんなところです。弘子、熱いお茶をくれ。今夜は零下十二、三度にはなりそうだな」

　栄介はオーバーも脱がず、傍らの椅子に腰をかけた。

「お兄さん、電話がきてたわよ」

　茶をいれに立ちながら、弘子は冷たくいった。

「どこから？」

「知らないわ。お父さんにお聞きなさい」

「栄介、お前、糸川みどりっていう人を知ってるかね」

「糸川みどり？」

栄介は明らかに不愉快な顔をし、

「糸川から電話が来たんですか」

「ああ。どんな関係かね」

「糸川がいったでしょう?」

「結婚すると、お前がいったそうだね」

「女には一応、そういうでしょう。男は誰だって」

栄介はタバコを一本口にくわえて、平然と火をつけた。

「赤ん坊ができたそうだ。お前も気をつけなきゃ、駄目じゃないか」

「気をつける?」

細めた目でタバコの煙をながめながら、栄介はかすかに笑った。

「お前と一緒にならなきゃ、死ぬといっていた」

「そんなことをいう女じゃありませんよ。殺したって死なない女ですよ」

「とにかく栄介、この辺でそろそろ落ちつくんだね」

「落ちつくって、結婚しろっていうことですか」

「そうだ」

「どうしても結婚せよというのなら、してもいいですよ。お父さんさえかまわなければ」

「わたしはかまわん、しっかりした女のようじゃないか」

「ああ、しっかり者ですよ。大変な。とにかく、大変な兄貴がついているんですよ、あの女には」

「大変な兄？」

「そうです。知らなかったのは、こっちの手落ちだけれど、暴力団の幹部なんですよ、あいつの兄は」

「なに!?　暴力団の？　それは困る、そんなばかな……お前、それは困るよ」

　さすがに洋吉もあわてて、手を大きく横にふった。

「でしょう。そうと知ったから、ぼくだってみどりから逃げてるんですよ」

「二、三日中に、兄と学校に来るといっていたよ」

「ああ、そのくらいのことは、やる兄貴ですよ。校長室で大声でどなれば、向うは損はありませんからね」

「そんな……お前、冗談じゃない。わたしは校長だからね。暴力団になどどなりこまれては、大変なことになる。何とかならないのか、栄介」

「何とかならないかって……ぼくだって、それで参っているんです。しかし、みどりの奴、子供なんかできてるか、どうか、わかりゃしませんよ。あいつの兄貴の入れ知恵かも知れませんよ。お父さんは知らぬ存ぜぬで、突っぱねればいいんです。一一〇番を呼んだっていいわけですからねえ」

十坪程の広い校長室に、明るく冬の日が差しこんで、洋吉の足もとがあたたかい。少し、よごれた窓ガラスごしに、白い雪がまばゆく見える。藤棚や、ひばの垣根にも雪がこんもりと白い。

洋吉は靴の先でコッコッと床を鳴らしながら、いらいらと落ちつかなかった。糸川みどりという女が、その兄と学校に訪ねてくるという電話があってから、もう一週間にもなる。明日にも訪れるような口ぶりだったのに、その後何の音沙汰もないのだ。

その間、洋吉は毎日憂鬱なそして落ちつかぬ日を送っていた。みどりの兄が暴力団員だと聞いただけで、みどりという女も、したたか者のように思われる。

(栄介のバカ奴が!)

幾度も洋吉は、心の中で、息子の栄介を罵っていた。洋吉は、歴代校長の十何人かの写真がずらりと並ぶ壁面を見上げた。先代の校長の微笑が、今日は自分をあざ笑っているように見える。

中学校長として、この中学校はいわば花道なのだ。部屋の一隅には野球優勝のカップが並ぶ飾り棚があり、その傍に紫の校旗が置かれてある。時代がかった赤茶色の両袖の事務机の上には、呼びりんや硯箱、ペン皿が置かれ、その机に並んで、応接用のソファと、レースのテーブルクロスをかけたテーブルがある。

それらを、洋吉は不安なまなざしで一べつした。この校長室を訪ねて来た者に、曾《か》つて暴力団員は一人もなかった。

それが、今日にも訪ねて来て、大声で何をわめくかわからないのだ。ドア一つ隔てた職員室の教師たちは、その声を何と聞くであろう。教頭は何事が起きたか、飛びこんで来るにちがいない。その教頭の前で、栄介とみどりのことをいわれては、洋吉の立場はないのだ。洋吉にとって、自分の地位と体面は最も重要なものであった。それが、今にも失われそうな予感に、洋吉は脅かされていた。

あの夜、洋吉は栄介にいった。

「学校に来られては困るんだ、絶対に来ないように、お前、何とかならないのか」

「何とかならないかって、ぼくだってどうしようもないんですよ。今日の電話は、つまり脅しの電話ですよ。おどしておいて、どうでるつもりか、あいつらのやることはぼくにもわかりませんからね」

「いや、おとなしい電話のかけ方だよ。脅しといった感じじゃなかったがね」

「お父さん。小さい声で殺すぞといっても、大きな声で殺すぞといっても、結局は同じことでしょう。兄と一緒に学校に行くといったのは、それだけで充分に脅しですよ。たとえ、おとなしい声でいったにせよですね。畜生、あんな女とはぼくも思わなかったなあ」

はじめは不貞くされていた栄介も、次第に困惑した表情に変って行った。

「お兄さん、その人に家に来て話をするようにいったらいいじゃない？　お父さんと話をするのならこの家でも出来るじゃないの」

弘子も洋吉に同情した。

「いや、そのことなら、俺だっていったよ。学校じゃ、父が迷惑するからってね。だけど、そういったのが拙かったんだなあ。あいつらは、人の弱みにつけこむのが仕事なんだよ」

栄介の弱った様子を、ふしぎなものを見るような目で見ていた不二夫の顔が、なぜか洋吉は頭にこびりついて離れない。

洋吉は、タバコに火をつけて、大きく煙を吸いこんだ。タバコの味もさしてうまいとは思わない。

（要するに、大きな声さえ出さなければ、いいんだ）

彼らが大きな声を出すのは、金をゆするためなのだ。

（胎児をおろす費用に、見舞金をいくらか添えて……）

十万もやればおとなしく帰るだろう。当初から考えていることを洋吉はまた自分にいいきかせてみた。が、そうくり返し自分にいいきかせようとしても、それで万事が解決するとも思えない。何か不安なのだ。

（栄介のバカ者奴が！）

早く栄介を結婚させねばならぬと、洋吉は思った。

第二時限の終了のオルゴールが鳴りはじめた。乙女の祈りのオルゴールだ。と、その時、廊下側のドアをノックする音が聞えた。入って来たのは、家庭科のほっそりとした若い女教師だった。

「校長先生、お客様です」

「お名前は？」

「お伺いしたんですが……おっしゃらないものですから」

糸川兄妹だと洋吉は直感した。

「男と女かね」

「いいえ、女の方です」

では糸川みどりだけなのだ。洋吉は少し安心して、すぐ通すようにいった。

間もなく、再びドアがノックされた。

若い和服姿の女性が、明るい笑顔で入ってきた。

「よくいらっしゃいました。真木です。先日はお電話をどうも」

洋吉は椅子から立ち上り、沈痛な顔で頭を下げた。ふいに女が笑った。

「いやだわ、先生ったら……。わたしよ、丹波千代子です。慶明中学でおせわになった……」

「え？　丹波千代子？」

洋吉は目をこらした。なるほどその笑顔の中には、中学時代の生徒の面影が残っていた。慶明中学は、もう十年も前にいた学校である。丹波千代子は、バレーボールのキャプテンをしていた。

「いやーね。先生わたしそんなに変った？」

千代子はソファに快活にすわった。

「いや、変らんが、突然だし、名前もいわないので……千代ちゃんとは思わなかったよ」

「名前をいわないで、驚かそうと思ったのよ。十年ぶりですもの」

受持ったことはないが、千代子は人気者で生徒たちにも教師たちにも愛されていた。たしか、釧路に途中から転校して行った筈だった。

「校長先生のきまじめな今の顔、おもしろかったわ」

千代子は突然訪ねて来た甲斐があったと、満足そうにいい、従妹の結婚式のために昨日札幌に来て、今日の午後帰る。自分も結婚して幸福に暮らしてているなどと報告して、手みやげのししゃもを置いて、三十分程で帰って行った。

千代子の帰ったあと、しばらくの間洋吉はぼんやりと石油ストーブの焔をみつめていた。学校の中で、校長室と当直室だけが石油ストーブで、他はまだ石炭ストーブだった。

(多分、今日はもう訪ねては来るまい)

やがて、昼食を終えて、茶を飲みながら新聞を開いていると、養護教諭の赤田典子が白衣姿で入って来た。

「校長先生、今日はご気分いかがですか」

時折、この時間には赤田が洋吉の健康状態を尋ねにやってくる。

「ありがとう、変りはないようだよ」

「それならよろしいんですけれど。この二、三日、あまりお顔の色がよくございませんでしたわ」

白衣の胸がふっくらと大きい。そばかすの浮いた鼻のあたりが、かえって何となくそそるものがある。

「ちょっと風邪気味のようだったからね」

「それはいけませんわ。お大事になさいませんと……」

ストーブの上のやかんから急須に湯を注ぎながら、典子はやさしくたしなめるようにいう。この女には、湯気のようにほおっと暖かくまつわるものがあると、洋吉は思った。その点、妻の勝江とは、全くちがっていた。典子が傍にいるだけで、洋吉は心が和んだ。

「赤田さん」

「何でしょう」

典子は自分のためにも茶をいれて、ソファにすわった。

「あんた、ししゃもが好きかね」

本当は、なぜ典子のような女性が離婚したのかと、聞いてみたかったのだ。

「好きだといったら、校長先生はくださるのでしょう」

典子は笑って、机の上の包みを見た。

「察しのいい人だ。好きかね」

「ええ、とても。でも五分の一いただきますわ」

典子は、色白のふっくらとした手で、茶碗を包むように持ったまま、微笑した。洋吉が包みを開きかけると茶碗をおいて、典子が立って来た。

「わたしがいたしますわ」

典子のやわらかい指が、洋吉の手にふれた。洋吉は手をひっこめた。

「まあ、いいししゃもですわ。これはお高い品ですよ、校長先生」

　典子は五匹ほど取って、

「本当にいただいて、よろしいんでしょうか」

　と上目使いに洋吉を見た。

「いいですとも、もっと取りなさい」

「たくさんですわ、もったいない」

　まだ五十尾ほどは充分にあるししゃもを、典子は器用に包んだ。この典子と離婚した男がみたいような気がした。

　その時、乱暴にドアがノックされた。ハッと、思わず洋吉は椅子から腰を浮かした。典子がちょっと眉をひそめて、ドアをあけた。

「校長はいるかい」

　男の声がした。

「あの、どちらさまでしょうか」

「あちらさまだよ、そこをどきな」

　男は典子をおしのけるようにして入ってきた。黒めがねをかけた、肩の筋肉の盛り上っているような男だった。そのうしろに、金色に髪をそめた女が、うつむいたまま従っている。

「赤田さん、あなたは養護室にもどってください」

不安そうに立っている典子に、洋吉はそういって、椅子から立ち上った。

(遂に来た!)

洋吉は足がふるえるのを覚えた。

「糸川でございます。先日はお電話で失礼いたしました」

みどりの挨拶は尋常だった。

「お待ちしておりました。わたしが真木です。さあ、どうぞおかけください」

「あまり待ってもいなかったろうよ。ビクビクしてたんじゃないの」

男は挨拶もせず、せせら笑うと、ソファの腕にジーパンの片足をぐいと上げた。

「お兄さん、だめよ、そんな失礼なことを……」

「失礼!? 何が失礼なんだよう。お前に子をはらませてよう、後は知らん顔で逃げる男よりは、俺は失敬じゃねえよ。なあ、おやじさん」

「いや、どうも、栄介がどうも申しわけのないことをしたようで……」

「申しわけのないことをしたようで? 冗談じゃない! ようでじゃないよ、したんだよ、おやじさん」

職員室との境のドアをノックして、女教師がお茶を運んできた。

「いらっしゃいませ」

女教師に、みどりはていねいに挨拶を返したが、男は相変らず片足をソファの腕に上げたままだった。

洋吉はどぎまぎした。茶など運んでくれなくてもいいと思った。女教師が出て行くと、洋吉は二人に茶をすすめ、

「いや、申し訳ありません。全く、栄介には、わたしもほとほと手を焼いて居ります」

これ以上大声を出されてはならないのだ。校長の自分が、暴力団員に何かねじこまれるような弱点があると知られては、生徒たちにも、教師たちにも、顔向けがならないのだ。大声を出させないためには、相手の要求をきかねばならない。そう思って洋吉は下手に出た。

「おやじさん。お前さんは校長だなんて、ふんぞり返っているくせに、一人や二人の息子も満足に育てられないのかい」

男はニヤッと笑って、ようやくソファに腰をおろした。が、その汚い靴下をはいた両足を、テーブルの上にでんと乗せた。

「いや、面目もありません。あれの弟も妹も、人並なんですが、栄介というのはどうも……」

「どうも、どうなんだい」

茶碗を持って一口飲み、

「しけてるねえ、この学校は。客にも番茶を飲ませるのかよう」

と、茶を床の上にパッと捨てた。みどりが困ったように頭を下げた。

「すみません、どうも」

栄介のことがなければ、洋吉にもこの男を一喝する位の気概はないわけではない。だが、栄介の不始末がある以上、いかんともしようがないのだ。

「それで、みどりさんは栄介といつ頃からのおつき合いですか」

洋吉はうつむいているみどりに話しかけた。

「わたしですか、あの、去年の」

いいかけると、男が、

「何だい？　おやじさん。いつからつき合おうと、こっちの勝手じゃないか。くだらんことを聞くなよ」

「いや、物ごとの順序として、一応……」

「物ごとの順序として？　そんなことはてめえの息子にきいているだろう。おやじさん、お前さんね、物ごとの順序としてなら、もっと先にいうことがあるだろう」

事々に人の言葉尻をつかまえては、男は文句をいうのだ。洋吉はどう口をきけばいいのか、わからなくなった。

「はあ、どうもどうも」

「はあ、どうもじゃないよ。おい、みどり、お前少しこの血のめぐりの悪いおやじに、少し栄介の悪行をいってみな」

「いくら何でも、お兄さん少し態度が悪いわよ。そんなお兄さんの態度よりは、栄介さんの態度のほうが、いいような気がするじゃないの」

　みどりが真剣なまなざしで、男を責めた。

「そうか、それもそうだな。じゃ、俺はおとなしくしているよ。お前、いいたいことをいってみな」

　意外とおとなしく引き下って、テーブルの上の両足もおろした。

「あの、このように学校に伺ったりして、わたし、本当に申し訳ないと思います。……お兄さん！　黙って！」

　何かいおうとした男を、みどりは叱るようにいい、言葉をつづけた。

「ごらんのように、こんな兄なものですから、一旦いい出したら、本当に仕方がないんです。わたしは、栄介さんが結婚するとおっしゃってくださったものですから、ずっと去年の春頃から、おつき合いしていたんですけれど……」

「去年の春頃からですか?」

一方ではあの死んだ紀美子とつき合い、同時にこの女をなぐさみものにしていたのかと、洋吉は改めて栄介のあくどさに驚いた。

「ええ、でも、いつまで経っても、結婚してくださいませんし、結婚の話になると上手に話を外らすんです。わたし、赤ちゃんもできたことですし、できたらぜひ結婚させていただきたいんです。わたしのおねがいは、ただ、それだけなんです」

「はあ」

洋吉は当惑した。みどりはそれほど崩れた感じはしない。頭髪を金色に染めている女は、洋吉は好きではないが、みどりは薄化粧で口紅も濃くはない。態度も尋常である。といっても、暴力団員の兄を持つ女と、縁を結ばせることは、洋吉にはできない相談だった。今後一生、何かと煩わしい渦に引きこまれそうで、恐ろしかった。

「何か月ですか」

「四か月に入っています」

「四か月にねえ。そうですか。無論、栄介とよく話し合ってみましょう。しかし、もしもですね、栄介が結婚しないということになったら、あなたはどうなさるんです」

「それは困るんです。結婚するという約束だったんですから、結婚してほしいんです」

「……………」

「この間お電話しましたように、栄介さんは、結婚する気はないから、おろせとおっしゃるんです。でも、わたし、おろすことは絶対にしたくないんです」

みどりは必死な表情だった。洋吉は視線を外らした。みどりは女として、当然のことをいっているのだ。

男はタバコをふかしながら、注意深く洋吉の表情をみつめている。

「とにかく、栄介と相談してみましょう。本人がうんといわなければ、これだけは仕様のないことですからね」

「なるほど、だがもしもだね、その息子がウンといわない時には、どうしてくれるんだね」

男は声を低めて、洋吉をうかがった。

栄介がみどりとの結婚を拒んだ時、どうしてくれるかというみどりの兄の言葉に、洋吉はいった。

「それは……何とか、とにかく説得したいとは思いますが……」

「わからないおやじさんだな。その説得を聞かない時は、どうしてくれるかというんだよ」

みどりの兄は、ソファの上に片ひざを立てた。

「その……何としても結婚しないというのであれば……、みどりさんとおっしゃいましたな、あなたは、どうなさいますか」

　苦しまぎれに、洋吉はみどりに尋ねた。

「おいおい。俺はね、みどりに聞いてるんじゃねえんだ。おめえさんに聞いてるんだ」

「おにいさん、もっと、声を低くしてよ。ご迷惑だわ」

「ご迷惑？　ふん、ご迷惑とはこちとらのいう言葉だ。さんざんなぐさみものにされて、ハイサヨナラじゃ、お前がかわいそうじゃないか」

「かわいそうだと思ったら、もう少しおとなしくしてよ」

　意外にみどりは気丈だった。兄をたしなめてから、

「すみません、こんな兄で……。あの……わたし、結婚できても、できなくても、お電話で申しあげたとおり、生みたいと思います」

「やっぱり生むつもりですか」

「ええ、お腹の子に罪はないんです。生みましたら、やはり認知していただき、できたらお宅で育てていただきたいんです。いかがでしょうか」

「うちで育てるのですか」

　当惑をあらわにしまいと思いながらも、意外な申し出に、洋吉は返答に窮した。あの勝江が、果して育てるというだろうか。否、それよりも、世間は赤子を何と見るだろう。弘

子の子と誤解するかもしれないのだ。未婚の弘子に、たちまちあらぬうわさが立つのは、目に見えている。

雪にまぶしく照り返していた日がかげった。くっきりと蒼かった木影が、たちまち消えた。洋吉はいいがたい不安を押しかくして、窓外からみどり兄妹に視線を移した。みどりは真剣なまなざしで、洋吉をみつめながらいった。

「育てていただけないでしょうか。何かとご都合もおありでしょうけれど……」

「……さあ、今すぐには、何ともお返事のしようもありませんが……」

いいかけた洋吉の言葉を奪うように、みどりの兄は大声でいった。

「あんまりなめたことをいうなよ。この子の腹の中には、誰の子がいると思っているんだ。栄介という野郎の子だよ。自分の子を自分で育てかねるんなら、何で女に手なんか出すんだよ！」

「君、もう少し静かに話してくれませんか」

洋吉は狼狽した。一番聞かれたくない言葉を、この男は大声でいったのだ。

「なんだと！　もう少し静かにだと？　これが静かに話のできることだっていうのかよ！」

更に声を張り上げる男に、洋吉は哀願するように頭を下げた。

「すみません。生徒たちの授業にも差しつかえますし、何なら今夜、お食事でも一緒にして

「……」

「食事？　食事などおめえみたいな奴と一緒にしても、うまいはずがあるかい！」

「お兄さん！　とにかく大声を上げないという約束だったんでしょ。本当に静かにしてくれなきゃ、わたし、栄介さんに会わす顔がないわ」

みどりは少しきつい語調になった。

「しかし、お前、さっきからこいつの態度を見ていたらよう、てんでお前のことなんか、考えてやしないじゃないか。話さえわかりゃ、俺だって大きな声は出したかあないさ」

「糸川さん、わたしは別に、みどりさんのことを考えていないわけじゃ、ありませんで……」

「ほう、考えてんの？　じゃ、ききますがね、どんなふうに考えてくれてんの」

「先ず、できたら栄介と結婚させたいと……」

「嘘をいえ！」

男は一喝した。

「いや、うそではありません」

「校長先生様よ。実はね、さっき俺は、おめえさんの息子に電話したんだ。結婚する気か、どうかってよ。あいつ、何ていったと思う？」

「……………」

洋吉は視線を外らした。

「いいか。よくききな。あいつはこういったんだ。ゆうべおやじに猛烈に反対されたから、駄目だっていうんだ」

「……………」

「暴力団員の兄貴がついているから、駄目だというんだろう? おやじさん。あまりしらじらしい嘘をつくなよ。どうせ、おめえらの気持はわかってるんだ。嫁にもらいたくねえ、子供も生んでほしくねえ。そうだろう? おやじさん」

うす笑いを唇に浮かべて、男はいやに静かな声でいった。洋吉は、うかつな返事はできないと思った。要するに金がほしいのだろうと思っても、それを口に出すには慎重でなければならない。これで場所が学校でなければ、洋吉ももっと自由に口がきけた。洋吉はみどりという娘のことより、教師たちの思惑が気がかりだった。授業中で、ほとんどの教師が教室に行っていても、授業のない教師が二、三人は、すぐ隣りで耳を澄ましているにちがいないのだ。

「おやじさん、俺だって別に話のわからん男じゃないつもりだ。みどりの子は俺が育ててもいい」

「え？　あなたが？」

「ああ、俺がね。俺があんたの孫を育ててやるよ。しかしね、養育料は栄介の野郎に出させなよ」

男はにやにやと笑って、黒眼鏡を外した。細めた目が、蛇のような光を放って無気味だった。

「それは、もう……しかし」

子供は生んでほしくなかった。その子が、真木家の禍根となることは必定なのだ。いやでも洋吉の視線は、みどりの腹部に走った。

「しかし、何かね、生むなというのかね」

男はタバコを口にくわえて、押し殺したような声でいった。

「いや、生むなというわけじゃありませんが、生まれて来た子の一生を考えますとね……」

「殺したほうがいいというわけか。校長先生が人殺しをすすめるわけですかね」

男は低く笑った。

「どうだみどり、おろせとよ。おろせるかお前」

「いやです。そんなこと」

みどりは顔をふった。金色の髪が軽くゆれた。

「いやだっていってもよ。生んでもらってありがとうとは、子供もいえないかも知れないぜ。ね、校長先生」

うっかり肯くこともできず、洋吉は腕を組んで沈思しているより仕方がなかった。

「でも、わたし、おろすなんていやよ。赤ちゃんの手や足や頭を、きざんで出すんだって……。かわいそうよ、何の罪もないのに」

「しかし、お前は育てないんだろう。親に育てられない子はあわれなものだ。俺たちみたいにな」

「だって生活力がないんだもの。一人食べていくだけで大変なのよ」

「じゃ、金さえあれば、自分で育てるのか」

「それは、生活力があれば、育てられると思うけれど……」

男は洋吉のほうに向きなおって、

「おやじさん、お聞きのとおりさ。みどりが育てるってさ」

「それでは……養育費のことは……」

結局は金を出せということだったのだと、洋吉は思った。

「おやじさん、どのくらい出してくれるのかね」

「そうですね、栄介や家内とも相談しまして……」

「冗談じゃない。栄介なんてドケチな野郎になんざ、相談したらびた一文も出しゃしませんぜ。おやじさんの前だが、あんなケチな野郎もありませんよ。食事はいつもワリカンか、下手をすると、みどりが持たされる」

「はあ、それはどうも……」

「全くみどりは馬鹿な女で、ブローチ一つプレゼントしてもらったことは、ないんだそうだがね。まあ、最後にでかいプレゼントを腹の中に入れられたわけだが、とにかくあんなドケチに、金の相談なんか無駄でさあ」

「…………」

「いくら出してくれるんだ」

「……よく考えましてから……」

「よく考える!?　おい、ばかにすんなよ」

　またもや男は声を荒げた。

「いや、しかし、家内にも相談しませんと……」

「家内ね、女房族にはどこの亭主も弱いもんだ。校長でございと威張っていても、結局はそこらの野郎どもと、変りはないということだ。じゃ、よく相談しておいてくれ」

　意外におだやかにいって、男は黒メガネをかけ、立ち上った。洋吉は思わずほっとした。

「校長さん、そううれしそうな顔をすんなよ。念のためにいっておくがね、赤ん坊を育てるために、みどりは勤めをやめさせますよ。みどりは今、洋裁師で五万円もらっている。この分も考えておいてもらわなければね」

「五万円ですか」

　すばやく一年六十万と計算して、洋吉はうかぬ顔になった。

「そうだ。それはみどりの生活費さ。養育費は別だ」

「なるほど」

「それだけじゃない。出産費用も要る。こいつには母親がいないから、附添も頼まなきゃならん」

「なるほど」

　今は一刻も早く、学校の外に出てほしかった。

「それでは終わらんよ、校長さん」

「?………」

「わからんかね。手切金だ。それに慰藉料だ。五十万や百万のハシタ金じゃ、俺は承知しないぜ」

　低いがドスの利いた声だった。

「お兄さん、そんな……」

「うるさい！　お前は黙っておれ！　じゃ、帰るぜ」

男はぬっと手を差し出した。

「タバコですか」

あわてて洋吉は、机のひき出しをあけた。

「ふざけるな！　お客さまのお帰りなんだ。車代くらい渡せねえのかよう。気が利かねえ」

「あ、どうもすみません。ぼんやりしておりまして」

背広の内ポケットから、洋吉は千円札を取り出し、差し出した男の手の上におこうとした。

男は手をすっと引き、

「まちがえてんじゃねえの。こちとらはガキじゃねえんだ」

「これはどうも！　失礼しました」

再び内ポケットを探りながら、一枚だけあった一万円札を男に手渡した。

「またチョクチョク来るぜ」

男は一万円札を無造作にポケットにねじこんで部屋を出た。

「すみません。あんな兄で……」

みどりはていねいに頭を下げた。白い衿足だった。

「今度は家のほうにおいでくださいませんか。ここでは何かと差しつかえますので」

洋吉は低くみどりにささやいた。

「なるべくそうしたいと思いますけれど、兄が何と申しますか……」

洋吉は玄関まで二人を送って出た。

校門を出た二人が、車を拾って立ち去るまで、洋吉は見送っていた。見送りながら、曾つてないほどの怒りがこみ上げてくるのを感じた。

「栄介の奴!」

紀美子は自殺し、みどりの兄はゆすりにきた。今後更に栄介が何をしでかすかわからない。ひっそりと冬の川に身を沈めて、命を絶った紀美子がいいようもなく哀れに思われた。いいたいこともいわずに、黙って死んで行った紀美子を、栄介は一体何と思っているのかと、洋吉は一層腹立たしかった。

校長室に戻ると、若い女教師が茶碗を下げに来た。洋吉が戻るのを待って、部屋に来たようであった。

「何ですか、あの人たちは」

女教師はさぐるというより、単純に洋吉に同情しているふうである。

「うん、まあ心配しないでもいいですよ」

「でも、あんなガラの悪い人は見たことありませんもの。教頭先生は、何かあったら一一〇番に電話をするって、心配していらっしゃいました」

ドア越しに話は洩れたのかと、洋吉は絶望的な思いになった。

「話の内容がきこえたわけですね」

「いいえ、わかれば心配はないんですけれど、急に大きな声になったり小さな声になったり、何のことか、よくわからないので心配しました」

「それはどうも。何せ教え子が多いと、いろいろとかかわりができましてね」

女教師の言葉にほっとした洋吉は、とっさの思いつきをいった。

「ああ、それじゃ、あの女の人が教え子で、あの男の人と何かあったわけですね」

「まあ、そうです」

女教師の早のみこみに感謝し、

「すみません、もう一杯お茶をいれてくれませんか」

と、洋吉はがっくりと椅子に腰をおろした。そこへ教頭が入ってきた。

「大変なお客さんのようでしたね。校長先生」

教頭も同情した。普段、人格者としての誉れの高い洋吉が、暴力団員にゆすられるなどとは、誰も考えていないようだった。

「教頭先生、あの女の人が教え子だったんですって」

女教師が洋吉の前に、茶碗をおきながらいった。

「なるほど、たくさんの教え子がいると、全くさまざまな事件が起きますね。この間、わたしのところにも教え子がきましてね。車をそこで修理するのに千二百五十円ほど足りないって、いうんですよ。明日返しにくるというので貸してやったら、なに、彼は詐欺常習犯でしてね。まあ、いろいろなことがあるものですねえ」

ストーブのそばに立ったまま、教頭は洋吉を見た。女教師は出て行った。教頭に一応、何とか話をしなければならない。すばやく頭の中で言葉を探しながら、洋吉はさりげなくいった。

「そうですか、詐欺ですか。教え子も、少年少女の頃と、いつまでも同じじゃありませんからなあ。あの女の子は優秀な子でしたがね。わたしの紹介した男と恋愛して、捨てられたんですよ」

「ははあ、なるほど」

「詳しくはちょっと何ですが、それと、あの暴力団の男といろいろありましてね。結局、紹介したわたしが悪いということなんですかね」

「それは校長先生、大変でしたね。今度何かあったら、一一〇番しますよ、ご安心ください」

「いや、どうもご心配をかけました。まさか学校までやってきて、大声をあげるとは思わなかったものですから、いささか参りましたが、一一〇番を呼ぶほどのことでもありませんから……」

「わかりました」

教頭は両手をストーブにかざしながら、そういったが立ち去らない。

洋吉は、机の中から罫紙を出した。別に差し迫って仕事があるわけではない。罫紙を広げれば、教頭は気を利かして部屋を出て行くと思ったのだ。

しかし教頭は、その洋吉を見ながら、

「校長先生、今の女性は何という名前でしたかね」

「……糸川みどりといいますが」

名前は告げたくなかった。

「糸川みどり？　そうですか」

「何か？」

「受付の窓越しに、ちらっと見ただけですが、わたしの教え子に似ていたように思いましてね。そうですか、それじゃ別人ですね」

教頭は、ストーブに背を向けて、歴代校長の写真を見上げた。

節分の日

節分の日

「あ！」

　今すれちがったのは、西井市次郎ではなかったかと、真木弘子はふり返った。たしかに市次郎だった。市次郎はグレイのオーバーを着、べたべたと雪のとけている舗道を、うつむき加減にゆっくりと歩いて行く。その姿がバスターミナルのほうに曲った時、弘子は急にその後を追った。

　土曜の午後のバスターミナルは、人が混んでいた。ちょっと視線を放すと、市次郎の姿は見失いそうだった。弘子は思わず小走りになった。追ってどうするのか、考えてはいないが、弘子は何かに急きたてられる気持だった。

「あの……」

　追いついた弘子は、ためらいながら声をかけた。

「は？　何か」

足をとめた市次郎は、おだやかな顔を弘子に向けた。

「あの……失礼ですけれど、西井紀美子さんのお父さまではございませんか」

「はあ、紀美子の父ですが……あなたは？」

「わたくし、真木栄介の妹の弘子です」

弘子はていねいに頭を下げた。

「ああ、いつか、お目にかかったことがありましたね」

市次郎は親しみ深い微笑を浮かべ、

「志村から、あなたのことは伺っていました」

「何とお詫びしてよろしいのか……」

いいかける弘子に、市次郎は首を横にふった。

「いやいや、あなたのお気持は、うちの治からも聞いていました」

うつむいた弘子を、ちょっと眺めていた市次郎は、ふと腕時計を見て、

「今日はお勤めは？」

「は、土曜日ですので、もう終りました」

「そうですか。じゃ、差支えなければ、その辺でお茶でもいかがでしょうか」

「はあ、ありがとうございます」

市次郎の態度は、息子の治の敵意ある態度とは全くちがっていた。弘子は誘われるままに市次郎に従った。冬の陽ざしだが、オーバーを通して背にあたたかい。並ぶと、市次郎は思ったより背が高く、歩き方も若々しかった。

「あすは立春ですね」

ちょっと黙っていた市次郎がいった。いたわり深い声音だった。

「ええ」

「あなたの家では、今夜豆まきをするんですか」

「ええ、父はそんなことが好きなんです。でも、豆まきぐらいで鬼は逃げて行きませんわ。兄なんか、大あぐらをかいて威張っていますわ」

「たしかに、豆まきぐらいでは、鬼は逃げて行きませんね。誰の心からも」

弘子の歩調に合わせながら、市次郎はいった。

バスターミナルから、仲通りに外れた小さな喫茶店に二人は入った。テーブルが七つほどあって、二組の男女がひっそりと向いあっている。小さな店だった。

「少し暗いですね。これは失礼しました」

水飴に似た色の、三角型のうす暗い電灯が、四つ五つ下っているだけの店内を、席についた市次郎は見まわした。

「でも、今のわたくしには、この薄暗さが助かりますわ」

弘子は目を伏せ、

「本当に兄のこと、何とお詫び申しあげてよいか、わかりません」

と改めて頭を下げた。

「いや、その話はもうやめましょう。わたしとしては、あなたのお気持を伺って大変慰められています」

やさしいまなざしを、市次郎は弘子に注いだ。弘子は、一度会っただけの紀美子の蒼ざめた顔を思い浮かべた。

「そうおっしゃっていただくと、わたくし……」

ふっと涙がこぼれそうになった。西井治は激しく弘子を拒否したのだ。

「ぼくがどうすれば、目には目を以て報いることができるか、君はわかるだろう」

脅すような治の言葉を、弘子は忘れることができなかった。

「弘子さんとおっしゃいましたね。弘子さんは、わざわざお訪ねくださったそうですね。その節は息子が失礼なことを申しあげて、全く申し訳ないと思っていたんですよ。お目にかかれて、本当によかった。よく声をかけてくださった」

運ばれてきたコーヒーのカップを、市次郎は馴れた手つきで、くるりとまわした。その手には、父の洋吉にはない、しゃれた雰囲気が漂っている。

「わたくしも、こんなに優しくしていただいて、本当にうれしいと思います」

客の一組がひっそりと立ち上った。男が金を払う間、小柄な女性は、かすかに唇をあけて男を見守っていた。その表情が妙にあわれであった。二人が影のように店から消えると、市次郎はいった。

「悪いんですが、幸せに見えましたか、今の二人は」

「いいえ、あまり……。でも、二人の心はぴったりと合っているみたい」

「なるほど、二人の心がぴったりと合っていても、幸せとはいえないというケースも、あるわけですね」

男に妻がいるか、あの小柄な女が人妻かも知れないと思いながら、弘子はうなずいた。

「弘子さん、わたしはね、今さっきあなたに会っても、少しも驚きませんでしたよ。なぜか、おわかりですか」

「いいえ」

「自分でもふしぎなんですけれど、わたしはあなたと、こうしてお目にかかることを予期していたようなんです。意識してそう思っていたのではないのに、さっき、あなただとわかった時、心の中で、ああやっぱりと思ったのは、おもしろいことだと思いませんか」

市次郎の落ち着きと静かさは、青年たちにはないものであった。

「ふしぎですわ。でも、わたくし、大学に小父様をお訪ねしたいと、幾度も思っていましたから、その気持が通じたのでしょうか」

「そうかも知れません。そうだ。これから時々、大学のほうにでも遊びにいらっしゃい。わたしもあなたとはお話したいですね」

「よろしいんですか。遊びに伺っても」

「いいですとも。しかし、これは治には内緒にしておかなければなりませんね。あの子は少し感情的になっていますから」

「でも、当然ですわ。お怒りになるのは」

「寛容ですね、あなたは」

「いいえ、わたしも兄を憎んでいるんですもの」

弘子は一昨夜のことを思った。糸川みどりとその兄が、洋吉と栄介を訪ねてきた。が、栄介は、二階の自分の部屋から一歩も出ようとはしない。やむなく洋吉だけが糸川兄弟に会った。時折大きな怒声が聞えたが、それでも案外早く兄妹は帰って行った。二人が帰ったのを知ると、栄介はニヤニヤ笑いながら二階から降りてきた。

「割とすぐ帰ったようですね」

栄介はソファにでんと腰をおろし、大きく足を組んだ。着物がはだけ、毛ずねがあらわになった。

「割とすぐに帰ったじゃないよ。手切金を三百万要求して行った」

洋吉は、さすがに苦々しげにいった。

「三百万？ ばかばかしい。それでどうしたんです」

「払うことにしたよ。しかも養育費とあの女の生活費合わせて、七万円を毎月取られることになった」

「冗談じゃない。お互いに楽しんだのですよ。何も金など払うことはありませんよ」

呆れて弘子はいった。

「じゃ、お兄さん、お兄さんが出て、きっぱり断ればよかったじゃない？」

「お前は黙ってろ！」

栄介は一喝した。

「なぜ黙っていなければならないの。お兄さんは卑怯よ。西井さんの時も、今度も、女の人が来るとすぐにかくれたがって……。自分のことを自分で始末できないで、何を威張ってるのよ」

弘子は椅子から立ちあがって、栄介を見おろした。

「妹のくせに生意気いうな！」

「生意気なほうが、卑怯よりはまだいいでしょ。第一、わたしは、あんたなんかの妹じゃないわ」

「まあまあ、二人とも少し静かにしなさい。栄介も態度が悪い。みんなに不快な思いをかけたのだ。すまなかったと一言ぐらい、いってもいい」

洋吉の言葉に、栄介は鼻の先で笑った、その栄介に、不二夫がいつもの澄んだ目を、悲しげに向けていた。勝江は台所で、今下げた客の茶碗や灰皿を洗っていた。

(全くいやになっちゃうわ)

弘子は市次郎を見た。三百万もの大金を栄介のために出さねばならなくなったというのに、栄介はすまないとも、ありがとうともいわず、相変らずふてぶてしく構えていたのだ。一昨夜のことを思うと、今も体がふるえそうなほど、弘子は腹立たしかった。

弘子はいったのだ。

「お父さん、あのひとに三百万出すのなら、紀美子さんには、千万でも、二千万でも出すべきよ」

「ばかをいえ！」

どなったのは洋吉ではない。栄介だった。

「何がばかよ。生きている人に三百万出すくらいなら、自殺した人には何倍も上げるべきだわ」

「わからん奴だな。頼んで死んでもらったんじゃないんだ。自分勝手に死んだんだ、弘子」

「そう！　死んだ人は黙っているから、香典も上げなかったのね」

どれもこれも、思い出すと腹立たしいことばかりなのだ。

「お兄さんも、芯から悪い人じゃないでしょう」

市次郎はコーヒーカップを宙に、ぽつりといった。

「いいえ、兄は恐ろしい人間です。腹の底からの悪人です」

「そんなことをいっちゃいけない」

「まあ、兄を弁護なさるんですか」

目を見張る弘子に、

「いや、弁護するわけじゃありませんが」

と、市次郎は苦笑した。

「おやさしいんですね、小父さまは……。兄は……」

余程、糸川みどりの件を告げようかと思ったが、さすがにそれは憚られた。紀美子を失って二か月しか経っていない市次郎には、あまりに残酷な話なのだ。

「わたしは、紀美子と同じ年頃の娘さんを見るのが、辛くてなりませんでしたが……なぜか、あなたとこうしていると、逆に心が休まるのです」

「まあ」

「ちょっとおかしいでしょう。でも、それはほら、外の音がうるさい時、ラジオをかけていると、かえって静かだというのに似ているのかも知れませんよ」

弘子はうなずいた。

「街を歩いていても、若い娘さんに会うのがいやでしてねえ。なるべく車で通っていたんですが、一週間ほど前から、それはいけないとバスに切りかえたところなのです」

静かだが強い人だと、弘子は市次郎の知的な顔を見た。

「弘子さん」

「は？」

「あなたのボーイフレンドと、うちの志村が友人だそうですね」

「ええ」

弘子はちょっと顔を赤らめた。

「その人に、わたしと会ったことをお話するでしょうね」

「ええ、でもお話していけなければ……」

「いや、志村にさえ黙っていていただければ、治には知られませんから。治には、まだあなたのおうちの人のことは、刺激的ですからね」

「黙っていいます。今野さんにも。小父さまのことは誰にもいいませんわ。……内緒にしておきます」

二人だけの、といいかけた言葉を弘子は呑みこんだ。

「今野さんは、ディレクターでしたね」

「ええ」

「志村が尊敬しているようです」

市次郎の言葉の中に、あたたかい心づかいを弘子は感じた。市次郎を慰めねばならぬ自分が、かえっていたわられていると思った。

「うれしいわ」

素直にいって、

「小父さまは、文学部の教授をなさっていらっしゃるんですね」

「勤まっているか、どうかはともかく……」

市次郎は微笑した。

「わたくし文学のことは、よくわかりませんわ。小父さまとお会いしても、何をお話したらいいのか……」

「黙って、そばにいてくださるだけでもいいですよ。ただ、あまり気を使わずに、のんびりしていてくだされば」

「なるべくお言葉どおりにいたします。小父さまは何がお好きですか」

「食べ物?」

「ええ、食べる物でも、何でも」

「食べ物に好き嫌いはないですよ。そうですね、やはりおいしい味噌汁やおにぎりが……」

いいかけて市次郎は、残りのコーヒーを飲んだ。

「おにぎりがお好きなのね」

自分にいいきかせるようにうなずいた弘子に、市次郎はいった。

「わたしも気がねなしに、何でも話をさせていただきましょうか」

「無論よ。そうでなくてはつまりませんもの」

「やっぱり紀美子の話になるんですが……。あなたの前で、紀美子のことに触れまいとするのは、かえって心理的に無理がかかりますから申しあげるんですが、あの子のおにぎりは美味しかった。死ぬ前の日、鮭やうにやかつお節の入ったおにぎりをたくさんつくって……。それが食べきれずに残っていましてね。あの子が死んだあとで、それだけは食べられないって、治が涙をこぼしていましたが……」

「まあ」

　弘子は胸の突かれる思いがした。

「やはりいけないことをいったかな」

　ちょっと顔をのぞきこむようにした市次郎に、

「いいえ、いいんです。いいんです。何でもおっしゃって」

　弘子は涙ぐんだ。その涙を市次郎は貴重なものでも見るように、じっと眺めた。

「あなたは日記をつけていますか」

　しばらくして市次郎はいった。

「いいえ」

「じゃ、今日からお書きなさい」

「今日からですか」

「そうです。日記は時にメモであり、時にスナップ写真でもありますけどね。本当の日記は、彫刻だとわたしは学生たちにいうんです」

　死の前日まで日記をつけていた紀美子のことを、市次郎は思っていた。

「彫刻？」

「そう、自分自身の命を、日記の中に彫りつけて行くんですよ」

「わかりました。わたくし、今日からおっしゃるように日記をつけます。小父さまとお会いした記念に」

弘子は微笑した。

「わたしに会った記念に？　弘子さんはやさしいことをいってくれますね」

市次郎も微笑した。

「小父さま、わたくし、小父さまにいろいろ教えていただきたいような気がします」

「わたしに、教えて上げることのできるものがあるならね。ところでタバコを喫ってもいいでしょうか」

「あら、どうぞ。わたくし気がつかないで、ごめんなさい」

市次郎を紳士だと弘子は思った。一々相手に喫煙の許可を得るといった青年は、ほとんど弘子の周囲にはいない。

市次郎のくわえたタバコに、弘子はすばやく灰皿の上にあったマッチを取って火をつけた。

「ありがとう」

「どうしたしまして。わたくし、今日小父さまのタバコに火をつけて差しあげたと、日記に書きますわ」

よそ目には、仲むつまじい親子に見えるだろうと思いながら、市次郎はふっと侘しかった。

夕食を終えた栄介は、タバコを買いに外へ出た。ザラメ雪がざくざくとして歩きづらい。栄介はペッとつばを吐いた。

つばを吐いて、栄介はおやという顔をした。いつもは暗い隣家の窓に灯がついている。隣りの橋場家が転勤で東京に引っ越して以来、半月程隣りの家は暗かったのだ。それが今夜は、門灯もあかあかと道の中央まで照らしていた。

ぶらぶら歩いて行くと、しまい忘れたのか、国旗を出している家があった。真白な地に鮮かな赤い日の丸は、いかにも真新しく見える。

「建国の日か」

つぶやいて、栄介はうす笑いを浮かべた。建国の日など、あろうとなかろうと、栄介には無関係なことだった。栄介の会社は官庁や銀行とちがって、祭日は休まなかった。自分は出勤するのに、父の洋吉がのんびりとテレビを見、不二夫も伸々としているのを見て、今朝は腹立たしかった。

左手のくるみ林の暗がりの中で、小犬の鳴く声がした。捨て犬なのだろう、あわれな力ない鳴き声だった。栄介はしかし犬にも興味がない。自分の利益にかかわりのないものには、何の関心も持たないのだ。

国道沿いの角の店に、栄介はのっそりと入って行った。タバコのほかに、菓子や果物も売っている店である。りんごの匂いが甘ずっぱく漂っている。

栄介はハイライトを一箱買い、五千円札を出した。もらった釣り銭を、栄介はゆっくりと数えた。その手もとを、頰の赤い十七、八の女店員がじっと見つめている。栄介は二度釣り銭を数えて、背広の内ポケットに入れた。

栄介が店を出て行くと、女の子はぺろりと舌を出した。女の子は栄介がきらいだった。栄介はいつも、店の中にぬっと体を現わす。そして店内をぐるりと見まわす。その、へいげいするようなまなざしや、横柄な態度も好きになれない。

この店に勤めはじめた頃は、顔立ちの整った栄介に注目したものだった。だが、ある日栄介がタバコを一ボール買い、一万円札を出した。八千四百円を渡し、次の客の品を包んでいると、

「君!」

栄介が鋭く呼んだ。

「ハイライトを、この店ではいくらで売ってるんだい」

「八十円です。どこの店でも」

「じゃ、一箱千六百円だろう？　どうして釣り銭が七千四百円になるんだ」

栄介は釣り銭を彼女の前につき出した。数えてみると栄介のいう通り七千四百円しかない。

「あ、すみません」

たしかに八千四百円のつもりだったと思いながら、あわてて千円札を渡した。

千円が一枚足りないといえば、それでわかることなのに、栄介のいい方は何と底意地の悪いいい方だろうと、彼女は腹が立ってならなかった。

しかもその日、閉店後どうしても金が千円足りなかった。いくら数えても合わないのだ。

（もしかしたら……）

八千四百円渡したはずなのに、栄介がすばやく一枚ぬいて、七千四百円をつきつけたのではないかと彼女は思った。それ以来、栄介に釣り銭を渡す時には、彼女は声を出して数えて渡し、栄介の数える手もとから、目を外らさぬことにしているのだ。

再び、栄介はもとの道を戻って行った。つい先程鳴いていた、くるみ林の小犬の声はもう聞えない。ひっそりとした林の横の道を歩いて行くと、向うから車が、強いヘッドライトを投げかけて近づいて来た。赤いスポーツカーだ。車はスピードを落さず、栄介の傍らを走り去った。ザラメ雪がズボンに跳ねた。

「チェッ」

いまいましげに舌を鳴らして、栄介は車を見送った。運転する若い男によりかかるようにして、女が乗っていた。

あとは、またひっそりと、夜半のように静かな住宅街である。

隣家の前を過ぎ、家の門に近づいた時だった。門の陰から、突如、栄介の前に立ちはだかった者がいる。足もとに気をとられていた栄介は、不意をくらって、思わず一歩退いた。

長い緋のマントをまとった女だ。が、その顔を見て、栄介はゾッとした。顔一面が無気味な紫色を帯び、しかもてらてらと異様に光っている。

「君は」

女は黙って栄介に一歩迫った。栄介は二、三歩退いた。

「誰だ！」

声がかすれた。

女は含み笑いを洩らし、マントから両手を出して顔をおおった。いや、それはおおったと見えただけだ。彼女の額から、するすると無気味な皮膚がむけはじめた。栄介はアッと声を上げた。

そこに、よく動く黒い目の女が、形のいい唇をほころばせて立っている。顔にはしっとりとした肌があるばかりで、紫の異様な皮膚は、するりと一枚はぎとられたのだ。

「驚いて？　お隣りの坊ちゃん」

アルトの、いいようもない魅惑的な声だ。

「あの、あなたは……」

栄介は完全に度肝を抜かれていた。

「そうよ、隣りに越してきた長浜摩理です。驚いてくださってありがとう。今ね、パックしていて、ひょいと二階の窓から下を見たら、あなたがぶらぶら出かけていらっしゃるところなの。オーバーも着ていらっしゃらないから、きっと、すぐ戻られると思って、驚かして上げようと思ったのよ」

「や、それは、どうも。本当に驚きました」

そういえば、二十五、六になる女性が、東京から来て住むという話を、母の勝江がしていたと、栄介は思い出した。

「お入りになりませんか。ぼくはここの長男坊で栄介と申します」

「叔母から伺っていましたわ。お隣りの長男坊はハンサムで、やり手だって」

「いやあ、どうも」

栄介はがらにもなく頭をかいた。

「栄介さんって、どう書きますの」

「栄えるに紹介の介です」

「あのねえ、栄介さん。これからは自己紹介の時には、栄えないの栄に、お節介の介ですとおっしゃいよ。そのほうが、よりすてきな青年に見えてよ」

長浜摩理はいたずらっぽく笑った。栄介はその笑いに見とれた。

「わかりました。これから、そう申します。まだ八時前ですよ。お入りくださいませんか」

「ええ。ご挨拶に伺うつもりでしたの。じゃ、着更えてきます」

さっと身をひるがえすと、摩理は栄介の前を離れた。

「お母さん、いま、お客さんがみえるからね」

茶の間に入るなり、栄介はいった。

「そう、また暴力団ですか」

勝江は淡々といった。洋吉が、見ていたテレビのスイッチを切った。

「何？　暴力団？」

「いやだなあ。そんなんじゃありませんよ。お隣りに引っ越してきた人ですよ」

「あら、お隣りに誰か越して来たんですか」

「何だ、お母さん知らなかったの」

「だって、今日は外に出ませんでしたからね」

ひどく機嫌のいい栄介の顔を、夕刊を読んでいた不二夫がちらりと見た。

「お兄さん、どうしてその方がいらっしゃるのを知ってるの」

不二夫の傍らでレース編みをしていた弘子が、けげんな顔をした。

「いや、それがさ、驚いたんだ」

栄介は珍しく快活に、今見た長浜摩理の様子を伝えた。

「妙な娘だね。フラッパーだな」

即座に洋吉はいった。

「いやなお父さん。会いもしないで、そんなことをいうものじゃないわ」

「しかし弘子、ふつうの娘ならそんなことはしないよ」

「できないかも知れないけれど、してみたい気持は、わたしにもあるわ」

「何だ。お前もそんなばかげたことをしてみたいのかね」

「してみたいわ。女が男をおどかすなんて、女なら一度はやってみたいことよ」

「若い娘が、東京から来て、一人で札幌に住むなんていうのも、いわくありげだねえ」

栄介は、壁の鏡をのぞきこんで、髪に櫛を入れた。

「あなた、橋場さんの奥さんが、いいだしたら利かない、わがまま娘だといってましたよ」

この間も洋吉にいったことを、勝江は忘れたのか、抑揚のない声でいった。

「だから、荷厄介だとわたしはいったのだが……」

鏡をのぞきこんでいる栄介を、洋吉は不安気に見て、

「勝江は、隣りに誰が住もうと、かまわないといったがねえ」

糸川みどりの兄に脅かされて以来、洋吉は少し頑固になった。

「お兄さん、その方、きれいな方?」

「さあ、十人並じゃないかな」

ポケットに櫛をおさめ、ネクタイを直して栄介は鏡の前をはなれた。

「へえー。お兄さんが十人並といったら、きれいな人じゃないかしら。お兄さんは、どんなきれいな人を見ても、大したことないよっていう人だから」

「何しに来るのかね、今頃」

「引っ越しの挨拶でしょう」

栄介は洋吉の前にすわり、落ちつきなく時計を見た。

「引っ越しの挨拶なら、ひる来るといい」

「文句が多くなったな、おやじさん」

不快そうに栄介はタバコに火をつけた。

「いや、別に文句のつもりじゃないが……」

洋吉はちょっとどぎまぎして、

「しかし、お前、糸川には三百万も出せと脅されているんだからね。もうこれ以上、心配をかけないようにしてもらわないと、困るよ」

「わかっていますよ。しかしね、何も脅かされたからって、三百万も出すことはないんですよ。ぼくはだからいったでしょう。テープでもかけておいて、警察に訴えればいいんだって」

ひとごとのように栄介がいった。

「そうですね。お兄さんのいうとおり、今度そうしたらいいですよ、お父さん」

今まで黙っていた不二夫が、夕刊をたたんで、マガジンラックに入れながら、さり気なくいった。栄介がじろりと不二夫を見た時、玄関のブザーが鳴った。

ハッと腰を浮かしたのは栄介だった。弘子はその栄介を、皮肉なまなざしで見つめた。

勝江が玄関に出て行くと、一旦腰を落ちつかせた栄介も出て行った。

玄関で挨拶でも取り交わしていたのか、少し手間どってから、居間のドアが開いた。

「夜分失礼いたします」

こころよいアルトの声と共に、入って来た摩理を見て、思わず誰もが息をのんだ。黒地に黄の格子のつむぎを着、クリーム色の帯をしめた摩理の、しとやかな身のこなしと、静かな微笑をたたえた気品に、驚いたのだ。

しかも、たった今、栄介の緋のマントを着、紫色に光るパックの無気味な顔に驚いた話を聞いたばかりなのだ。あまりにも鮮かな変身である。洋吉も思わず立ち上って、摩理を迎えた。

「はじめまして。わたくし、先日まで何かとおせわ様になっておりました橋場の姪の、長浜摩理でございます。すぐにご挨拶にお伺いしなければなりませんのに、今日午後こちらにつきまして、何かと自分のことで忙しくしておりましたものですから……。これは、ほんのおしるしでございます。今後どうぞよろしく……」

娘にしては行き届いた挨拶だと、洋吉は摩理の目をまぶしそうに見て、

「これはこれはごていねいに、どうも。わたしが真木です。こちらこそよろしくおねがいします。さ、どうぞどうぞ」

洋吉はちょっと上気して、一人一人を紹介しはじめた。

「これが長男の栄介です。市内の商社に勤めている愚息でして」

「お父さん、愚息はないでしょう」

栄介は少し気取った声で笑いながらいった。

「これが次男の不二夫です。銀行員のばかまじめな奴で……」

「愚息です」

栄介がすかさずいった。不二夫はおだやかなまなざしで会釈した。摩理は、一瞬その切れ長な目を大きく見張って不二夫を見たが、ていねいに頭を下げた。

「ふじおさんのお名前、どう書きますの」

不二夫が口をひらく前に、栄介がいった。

「不良の不、二流の二に、夫ですよ」

栄介は一人でうれしそうに笑った。摩理の目がちらりと栄介を見たが、

「まあ！　わたくしの弟も同じ字を書きますわ」

と親しみ深く不二夫に微笑した。

「これは失礼しました。そうですか、あなたの弟さんと……」

栄介は頭をかいた。弘子がくすりと笑った。

「次が弘子です。弘法大師の弘です」

その場をつくろうように洋吉がいった。一同が席についた。

「お一人でお暮らしになるんですって？　淋しくありません？」

「わたくし、とても淋しがりやですの。弘子さん遊びにいらしてくださいます？」

「伺いますわ。お邪魔でなければ」

弘子は摩理に好意を持った。自分の友人たちにはないふしぎな魅力があると、弘子は感じた。それは声にも表情にも、微妙に現れていた。

「ごらんのとおりの家庭です。あなたもご遠慮なく遊びにいらしてください」

外交辞令ではない心をこめた洋吉のいい方に、弘子は笑っていった。

「摩理さん、うちにはいささか不良がかった男がいますから、気をつけて」

「聞き捨てならないね、弘子。不良がかっているとは、誰のこと？」

栄介はタバコに火をつけ、摩理に微笑を送った。

「不良の不の不二夫さんでしょう」

摩理はいたずらっぽく微笑を返した。それは、不二夫の名で失敬した栄介をカバーする心づかいだった。

「摩理さんは、今日引っ越して来られたといわれましたね。何かお手伝いすることがあれば、おっしゃってください」

「ありがとうございます。でも移って来たと申しましても、夜具と着更えを少し、スーツケース二つに入れてきただけですの。叔父はタンスも食器棚も下駄箱も、つくりつけにしておいてくれましたし……近所でおなべや食器を買って、それで終りでしたもの」

大きなダイヤが、手を動かす度にキラキラと光る。栄介はそのダイヤにさっきから気づいていた。

「それでも、お疲れになったでしょう。さあ、どうぞ召し上れ」

勝江がココアをみんなの前においた。

「まあ、ココアはわたくし大好きですの。うれしいわ。早速いただきます」

にっこり笑って、カップに手をのばした摩理の手に勝江は目をとめて、

「まあ、見事なダイヤですこと。お一人暮らしでは物騒ですから、お気をつけませんとねえ」

「ほう、それがダイヤモンドというものですか。なるほど、十万もするものでしょうかなあ」

洋吉がいうと、思わず弘子は笑った。勝江も笑った。

「あなた、こんな大粒なダイヤは、この家を建てるより高いんですよ」

栄介の目が光った。

「ほほう、高価なものですなあ。そんなにするものですか。おどろきました。失礼ですが、ちょっと見せてくださいませんか」

「どうぞどうぞ。父が買ってくれたものですから、ニセ物かも知れませんわ」

摩理は気軽に指輪をぬいて、洋吉の肉づきのよい手に置いた。

「お父さんは、何でも弁護士さんとか……おっしゃいましたね」

「ええ、小母さま。母も銀座に洋装店を開いて、共稼ぎですの」

「ほう、弁護士さんと洋装店ですか。なるほどねえ」

洋吉は、ダイヤをしげしげと見た。弘子、勝江、栄介と順にダイヤは回った。が、不二夫は黙ってココアをのんでいた。

節分の日

ユー・ターン

ユー・ターン

「そうか、それはおもしろい女性が隣りに来たものだね」

「本当ね、一体どういうことになるのかしら」

　今野はハンドルを大きく右にまわした。今、手稲のスキー場に行くところなのだ。やはり手稲山に行く車だろう。スキーを車の屋根につけて、今野の車を追い越して行った。出発してから、交差点ごとに調子よく青信号だったが、郊外に来て赤信号にぶつかった。斜め向うの家の軒に、人の足ほどの太い垂氷《つらら》が幾本も下っている。家の前に男の子と、女の子が雪を手に持ってなめている。その二人の赤い頬を、弘子は微笑して眺めた。

「頬の赤い子って、この頃は昔ほど見られないわ。どうしてかしら」

「そういえばそうだね。妙に生っ白い子が多くなっちゃって……」

　昨夜は雪が降ったというのに、国道の両側の雪はうす汚い。ラッセル車ではねられた雪は、激しい交通量でたちまち汚れてしまうのだ。

左手に遠かった山が次第に国道近くに見えて来た。山続きの斜面に家が疎らになり、ひと所リンゴ園があった。雪の中に、どの木もねじれたような枝を見せているリンゴ園を過ぎると、やがて車は「手稲オリンピア」と書いたアーチをくぐって、手稲の山道に折れた。

山にさしかかると、たちまち昨夜の新雪がまばゆい。弘子は腕時計を見た。今日は土曜で、午後スキーに行く約束をしたのだが、もう四時を過ぎていた。今野の仕事の関係で、局を出たのは三時半をまわってしまっていた。しかし、夜になっても電灯の輝く夜間スキー場がある。

「……しかし、その女性が現われたのは、考えようによっては幸いかも知れないですよ」

先程の弘子の話を、ずっと考えていたのか、今野は再び長浜摩理のことをいった。

「そうかしら? わたしは摩理さんに好感を持ったけれど、彼女の存在が、わたしの家の幸いになるか不幸になるか、まだわからないわ」

長浜摩理の現われた三日前の夜のことを、弘子は思った。

摩理が帰ったあと、父の洋吉がいった。

「なかなか、いいお嬢さんじゃないか」

「そうでしょう。しかし、お父さんは、会わないうちにフラッパーだといったんですよ」

「うむ」

栄介の言葉に洋吉は苦笑して、

「それにしてもね。あんなしとやかな子がだよ、男の前に立ちはだかって、顔に皮を一枚貼って脅かしたとは、考えられないね」

「ああ、全くですよ。あの子が着物を着て玄関に立っているのを見た時程、驚いたことはありませんよ。顔の皮をするすると剥いだ時より、驚きだったなあ」

栄介は曾つて見たことのない程、機嫌がよかった。

「とにかく父親は弁護士で、金もあるらしいね。いい所の娘だということは確かだね。勝江も、何かと気をつけてあげるといい」

「金のある家の娘さんだからですか」

勝江のつまらなさそうな表情には、何の変化もない。

この時程、弘子は父の洋吉を俗な人間だと思ったことはない。洋吉が摩理に好意を持ったのは、彼女がやさしく、美しく、しとやかだったからであり、豊かな家の娘だったからだ。もし彼女が、ごく普通の顔立ちであり、一般の家の娘なら、洋吉は決して好意を持たなかったにちがいないのだ。

この時まで、栄介はどこか母親に似ていると、弘子は思っていた。が、父親にも似ていたのだ。洋吉の事なかれ主義から出た愛想のよさと、栄介の異常な金銭への執着とは、根を同一にしているように、弘子は直感した。

　こんな父と兄の前に、大粒のダイヤをはめた美しい女性が現われては、またまた何がひき起されるか、わからないような気がした。ぎらぎら光る目で、摩理の全身をなめまわすように眺めていた栄介を、弘子は思うだけでも不快だった。

「今野さん、兄がね、不良の不に二流の二なんて、不二夫兄さんの名前を紹介したら、あら、わたしの弟と同じ名前よって、真理さんがいったの。兄ったら、へどもどして、あの時は愉快だったわ。偶然の一致ということもあるのね」

　次第に急になる坂道の両側に、白い雪をかむった木々がいいようもなく清らかだった。

「ほう」

　とうなずいて、今野はちょっと考えてから、

「ちょっと待てよ、真木君。それは……偶然の一致なんかじゃなさそうだな。彼女には、不二夫なんて弟はいないような気がするよ」

「あら、じゃ摩理さんは……。なるほど、そうかも知れないわ。不二夫兄さんを、そんなふうに紹介した兄をたしなめたのね」

「多分ね。そして、不二夫君の肩を持ったんだよ。気転の利くひとだな」

「何だか、こわいみたいね」

いわれてみると、確かに摩理には不二夫という弟などいないような気がした。と、したら、長浜摩理という女性は、意外に成熟した感情を持っていることになる。

フロントガラスに、にわかに雪が舞いはじめた。

「はてな、雪かな」

今野はうかがうように空を見た。

「このぐらいの雪なら、大丈夫じゃない？」

「でもね、手稲の山は、天気が変りやすくてね」

晴れていたはずの空は、いつの間にか雲が多くなっている。

「真木君、君はこういう時、途中で引返すほう？　それとも、一応目的地まで行ってみるほう？」

見るまに雪が多くなってきた。

「わたし、わがままなのね。思い立ったことを中止するって、とてもむずかしいわ。でも、このごろは、そうでもないわ。今野さんは？」

「ぼくは、悪天候の時は、あっさりとやめるほうですよ。視界のきかないスキーは危険だからね」

「そうね」

「じゃ、意見一致だ。引返そう。いや、君が行きたいといっても、ぼくは引返すよ。この分だと、上のほうはもう相当の吹雪だ」

対向車が屋根にも窓にも雪をつけて降りて来た。今野は少し車を走らせ、比較的見通しのいい所でユー・ターンした。

「じゃ、わたしのうちへお寄りにならない?」

「そうだね。君の家は途中にあるわけだね」

「ええ、宮ノ沢の交差点を、ちょっと左に入ったところよ」

今野はちょっと考えていたが、

「また今度にするよ。何れはお邪魔すると思うが……君の家、いま何かと心理的に大変じゃないかなあ」

その通りかも知れないと思った。紀美子、みどり、と、たてつづけに真木の家を動揺させる事件が起きている。いまの自分の家には、今野を平静に受け入れる態勢は、できていないような気がした。弘子としても、今野をいま自分の家庭に客として招くのは、掃除もしていない家に招くようで、礼を失することに思われた。恐らく洋吉はうさんくさく今野を見るだろう。それは心理的必然であるような気がする。弘子は今更のように、このような自分の家庭が情なく思われ、その原因となっている栄介が憎かった。

「そうだ、君、ぼくの家に行かないか。母に紹介したいんだ」

今野は、いいことを思いついたというように、弘子を見た。

「今野さんのお家？　伺いたいわ。……でも」

「でも何です？」

車は国道に出た。

「でも、スキー場に行く服装よ。失礼じゃないかしら」

「かまいませんよ。何を着ようと、中身に変りはありませんよ。スキーに行くつもりだったといえば、いいでしょう」

「そうでしょうか」

ちょっと不安げに、弘子は首を傾けた。夕方のせいか、車が多くなった。

「真木君」

今野はちょっと改まった声になった。

「なあに」

「車の中で、こんなふうに話し出すのは、不謹慎だといわれそうだけれど……ぼく、あの縁談は疾《と》うにことわったよ。なぜであるかは、無論わかってくれると思うけれど……」

うなずこうとしたが、弘子はだまった。栄介と糸川みどりの兄の姿が、立ちはだかるよ

うに目に浮かんだ。只一度ではあったが、あの時糸川みどりの兄が、応接室でどなってい
るのを弘子は聞いたのだ。それ以来、職場にいても、家にあっても、
「何をっ！」
「この野郎！」
などと、どなる声がふいに聞えてくるようで、弘子は絶えずおびやかされている思いで
あった。もし、自分が今野と結ばれたとしても、いつ栄介が妹の家にも迷惑をかけるかわ
からない。そんな恐れも弘子は感じていた。弘子は今野の言葉に答えようがなかった。
沈黙している弘子に今野はいった。
「真木君、ぼくは、しゃれた口説き文句など知らない男だ。率直にいうよ。真木君、ぼくと
結婚してほしいんだ」
低いが、一語一語に真実がこめられていた。
「ありがとう、今野さん。わたし、とってもうれしいわ。もったいないと思うわ」
「と、いうことは、承知してくれたと思ってもいいんだね」
「……でも、その前に、わたし、お話をしておかなければならないことがあるの」
糸川兄妹に、わが家は今、ゆすられているのだ。そのことを、弘子はまだ何も語っては
いないのだ。

「どんなこと?」

「やはり兄のことなんです。恥ずかしいんですけれど、兄は……」

みどりのことを、弘子は詳しく話しはじめた。車は手稲町から西野に近づきつつあった。いつしか雪はやんでいる。雪は手稲山から小樽にかけて降っているのかも知れなかった。

「なるほど。君のお兄さんは、そのみどりという娘と、死んだ娘さんと二人に、同時に妊娠させたというわけか」

今野はちょっと笑った。

「兄ったら、本当に恥ずかしいわ」

「いや、今笑ったのは誤解されそうだな。誰でしたか〈何を笑うかによって、その人間がわかる〉という言葉を残しているけれどね、何を笑うかというのは、これは確かに重大なんだ」

「じゃ、兄のような人間は、大いに笑ってやるべきよ」

弘子は、軽くハンドルを握っている今野の手を見ながら笑った。

「いや、さっき、ぼくが笑ったのはね、別にお兄さんのことじゃないんだ。ふっと、ぼくの胸の中に浮かんだことを笑ったんだよ」

「どんなことかしら」

「実はね、みどりって女性は、もしかしたら、妊娠していないんじゃないかってね」

「まあ、そうなの。今野さんって、想像力が豊かなのね。だけど、そうも考えられるわね。妊娠はしていなくても、しているといってお金をゆすることはできますもの」

視点をちょっとずらすと、一つの事がいろいろに解釈できることに、弘子は今改めて気がついた。ようやく街の中に入り、前後左右に車が増えてきた。

「そうなんだ。それでね真木君、よくみどりという女性の身辺を洗ってみたら、案外ゆすられることは、ないかも知れないなと思ってね」

「本当ねえ。わたしは、兄が妊娠させたとばかり思って……」

「いや、事実はどうか、わからないけれど、ぼくはちょっとくさいと思ったんだ。紀美子というひとが妊娠して自殺した。すぐ、そのあとに妊娠した女がゆすりにくる。あり得ることかも知れないけれど、どこかどうもおかしいという感じがするよ」

今野の運転は慎重だが、逡巡がない。判断力決断力の確かさが、運転に如実に現われていた。そして、それは日常の今野の姿でもある。

弘子は、今の今野の言葉は、案外真実をついているような気がした。先程の、摩理には不二夫という弟はいまいといった言葉にも、真実を見通す確かな目があるように、弘子には感じられた。

「今野さんって偉いのね。よく見えるのね」

かる?」

「傍目八目《おかめはちもく》さ。傍で見ていると、碁でも将棋でも、案外見えることが多いんだよ。なぜかわ
「当事者じゃないから、勝っても負けてもいいのでしょう。気が楽なのね」

「そう。勝つか負けるかと、勝負にしがみついていると、自由じゃないんだね。日常の生活の中でも、自分の生活のことは何かにしがみついて、よくわからない。しかし、他人のことはわかる。ああ、あいつまた、へまなことをやってるなんてね。当るか当らないかはともかくとして、そのみどり兄妹は、あやしいとぼくは思うなあ」

「ありがとう。わたし、何とか調べてみるわ。でもね、とにかく、そんなわけで、暴力団にゆすられるような兄がいるのよ。何かのことで、今野さんにご迷惑をおかけするんじゃないかと思うと、わたし、すぐにはお返事しかねるんです」

「なるほど。しかしね、そんなことは二義的なことですよ」

「二義的なこと?」

公園のような知事公邸の前に、白いヘルメットをかぶった学生たちが、七、八十人、何か大声で叫んでいた。車が渋滞し、警笛があちこちの車から、いらいらと響いてくる。

「そう、二義的なことですよ。問題は、君のぼくに対する気持だと思うけど……」

「それは、もう……」

弘子は今野に顔を向けて、うなずいた。

「ありがとう。これで安心した。ぼくの母に、早速報告だ」

今野は手をさしのべた。弘子の手が、その厚い手にしっかりと握られた。警笛がいらいらと鳴らされ、学生たちの怒号のひびく車の中で、二人は今かたく手を握りしめ、その目を見合わせていた。

「結婚生活を象徴しているね」

「え?」

手を離してから、今野はハンドルによりかかっていった。

「車は思うように進まない。怒号はひびく。しかし二人はしっかり手を取り合って行く。悪くないなあ」

「本当ね」

「ぼくは、今日、あの手稲山の純白な新雪の中で、君に結婚を申しこもうと思っていた。でも、この北一条通りの、前にも後にも身動きできない車の中で、かえってよかったと思うよ。現実は甘いものじゃないからね」

そういう今野が、弘子にはひどく頼母しい男性に思われた。

「何だか変よ、わたし」

車は動きそうもなかった。次第にうす暗くなって行く街に、灯が点りはじめた。あきためたのか、自動車の警笛も少なくなった。

「何が?」

「だって、わたし、今野さんは好きだったけれど、こんなにぐんぐん惹かれてしまうとは思わなかったの。何だか、のんびり甘えていたのね」

「ぼくは、君が局に入った時から、目をつけていたよ。誰かに、さらわれやしないかと、大分気をもんでいた」

今野はさばさばといって笑い、

「こんな思いで結婚しても、喧嘩をすることがあるのかなあ。もったいない」

と、真顔になった。

車が徐々に動きはじめた。学生たちは、ふいに駆足で知事公邸前から去って行った。車の前方をふさいでいたらしい学生たちが、その一団を追うように駆け出して行く。アカシヤの並木が、とげとげと枝を空に向けていた。

「ね、今野さん」

ようやく動き出した車は、またとまった。信号が赤になったのか、デモでとまったのか、二人にはわからなかった。

「何です」

「わたし、ちょっと気にかかるの。さっき、山に登りかけて降りて来たでしょう。何だか、わたしたちの結婚も、決まりかけて駄目になるのじゃないのかしら」

「ばかだなあ。身動きのできない状況などと、ぼくもいったけどさ。何でも一々関係づけることはないいんだよ。雪が降り出したから引返したまでで、ぼくらの結婚とは何の因果関係もないですよ、弘子さん」

今野は、はじめて「真木君」と呼ばずに、「弘子さん」と呼んだ。はっと弘子が今野の顔を見た時、車は再び走り出していた。

絶えまなく風に吹き上げられる雪が、霧のようにすべてをもうろうと見せている。弘子はHKSテレビ局の受付の席から、おぼろに見える道庁の庭に目をやった。局と道庁の間の道路を通る車は、のろのろと速度を落して行く。視界がきかぬためであろう。

車が一台、局の前にとまった。車から降りた痩身の男が、オーバーの衿を立てて、風に一瞬よろめいた。

自動ドアが開き、ロビイを横切って、受付に向ってくるその男を見た弘子は、思わず声を上げた。

「まあ、ようこそ」

西井市次郎だった。市次郎は唇に微笑を浮かべ、やさしいまなざしで弘子を見た。

「やあ、先日はどうも失礼しました。お元気のようですね」

「ありがとうございます。小父さま、こんな吹雪に、何かご用でも?……」

「三時から、録画をとることになっていましてね」

「まあ、そうでしたの。じゃ、古典の旅の番組ですのね」

「そうです」

古典の旅の番組は、もう一年もつづいている番組で、市内の教授や高校の教師が、代る代る受持って放送している主婦のための番組であった。

「小父さまは、何のお話をなさいますの」

弘子は、西井市次郎になぜこんなにも親しみを感ずるのか、自分でもふしぎに思いながら、たずねた。

「松尾芭蕉です。わたしは、芭蕉が好きでしてね」

「まあ、芭蕉ですか。何だか小父さまにぴったりみたい。ちょっとお待ちくださいませ」

弘子は「古典の旅」担当の森川プロデューサーにダイヤルを廻した。

「控室にご案内しますわ。今すぐ森川が降りて参りますって」

受付の左手の廊下を曲ったところに出演者控室がある。口でいってもすぐわかる場所だが、弘子は西井市次郎を控室まで案内した。

「ありがとう。……帰りは五時でしたね」

「ええ、五時です」

「それまでに、録画を終えますよ。一緒に夕食でもしましょうか。ご迷惑でなければ」

市次郎も弘子を愛おしむように見た。

「ええ、うれしいわ」

弘子は素直に誘いを受けた。紀美子が生きていたならば、市次郎のために、今日も心をこめて夕食をつくったはずなのだ。そう思うと、市次郎の申し出は拒絶してはならないように、弘子には思われた。

市次郎を控室に案内して受付へ戻ると、今野桂一が階段を降りてきた。茶のカーディガンをワイシャツの上に羽おり、タバコを口にくわえている。

「やあ」

声をかける今野を、弘子はちょっとまぶしそうに見た。そして何となくハッとした。別段、今野に悪いことをしているとは思わなかったが、西井市次郎と食事の約束をしたばかりである。しかも、これは市次郎と弘子だけの秘密であった。もとよりそれも、市次郎の息子の治に知られぬための秘密であって、今野に打ち明けてはならぬというわけではない。ただ、西井家に同居している志村と、今野が友人であるが故に、市次郎に会うことは今野にも明かさぬことにしただけであった。

にもかかわらず、弘子はひどく今野にうしろめたい思いがした。今野と結婚すると心に決めた以上、今野にかくしごとをしてはならないのだ。

そう思って立っている弘子を、今野は単なるはじらいと見た。そして、そんな弘子を今野はかわいいと思った。

「君、今日は夕食を一緒にしない?」

弘子のそばに立って今野はいった。

「あの、ごめんなさい。お約束があるの」

「残念だなあ。じゃ、来週まで待つとするか」

相手は誰かとも尋ねずに、今野はあっさりいった。

「あの……」

「なあに?」

「あの、今ね、西井紀美子さんのお父さんが、そこの控室にいらしてるの」

「え? そこに? 出演者の控室に?」

「ええ。それでね、今日五時頃、録画が終るからって……」

「なるほど、じゃ、西井教授と食事をするわけか」

今野は、窓口にある灰皿に、タバコの灰を落して、

「そうか」

といい、ちょっと何かを考えてからいった。

「無論、息子は一緒じゃないだろうね」

「一緒じゃないわ。息子さんには内緒なの。だから、志村さんにも、内緒にしていただきたいの」

「なるほど。わかった。誰にも黙っておくよ。君の気持も、ぼくにはよくわかるからね」

気持よく今野はうなずいた。

「ありがとう。今野さんて、本当にいい方ね」

「どうして?」

「こちらの気持を、そのまま、すーっと受け入れてくださるんですもの。ちっとも、曲げたり、考えすぎたりなさらずに」

「そんなことで、ほめてくれるの」

今野は笑ってから、ふっと真顔になって、

「それはともかくね。西井教授とは、あまり親しくならないように、気をつけてほしいんだ」

「紀美子さんのお父さんと、親しくしてはいけないの？」

「父親とだけ親しくしていることが、可能ならいいけどね。今は内緒にしていても、次第に息子にも近づくという危険性が出てくるからね。目には目をなんていう男は、やはり避けたほうがいい」

　今野は西井治の言葉を忘れてはいない。

「ええ」

　ちょっと弘子を見て、今野は時計を見、

「じゃ」

　と、受付の前を離れた。

　階段のほうに、大股で去って行く今野のうしろ姿を、弘子は頼母しく思った。

　知事公邸前に動かなくなった車の中で、今野に結婚を申しこまれてから、まだ一週間と経っていない。それにもかかわらず、弘子はずっと以前から婚約しているような、心の落ちつきを感じていた。すでに、今野以外の男性を考えることはできないのだ。

　いつしか風がおさまり、訪問者が幾人かつづいた。

　小学校三年ぐらいの男の子が、ブルーのジャンパーを着て入ってきた。男の子はロビイに入ってきて、あたりをぐるりと見まわし、白い雪山の映っているカラーテレビに目をやったが、何となく困ったように立ちどまっている。

「何かご用?」

弘子が声をかけると、男の子はてれたように笑い、近づいてきた。

「なあに? どなたにご用なの」

「あのね。これね。今日締切だけれどさ。いま持ってきても、間に合うの?」

男の子は、ハガキを出した。子供番組のアンケートのハガキだった。

「間に合うわよ。おねえちゃんがあずかってあげるわね」

「うーん。だけどさ。ぼくにあたるかなあ」

男の子は不安そうである。

「それは、わからないわよ。くじ引きですもの」

望遠鏡が当る番組なのだ。

「わからないと困るんだなあ」

男の子は困ったようにいい、

「でも、当るかもしれないね」

と、思い切ったようにハガキを弘子に手渡し、

「わすれないでよ。今日締切だからね。ぼくね、望遠鏡あたったら、となりのおじいちゃんに、月の世界をみせてやりたいんだ」

にっこり笑って、少年は帰って行った。近所の子供なのだろうか。吹雪が止むのを待って、放送局にかけつけたのだろう。となりの老人に月の世界を見せてやりたいという少年の言葉に、弘子の心が和んだ。

そんなやさしい思いを、兄の栄介は、一度でも持ったことがあるだろうかと、弘子は栄介の少年時代を想像せずにはいられなかった。

弘子は少年のハガキにある住所を見た。局から一キロ近く離れたところに住む少年だ。弘子は住所と名前を手帳に書きとめた。少年が抽せんに洩れた時は、望遠鏡を買って送ってやりたい思いだった。

ロビイの時計を見上げると、五時十五分前である。あと十五分で録画は終る予定である。西井市次郎が芭蕉に詳しいことを、無論弘子は今日まで知らなかった。弘子は高校時代の国語の女教師の言葉を思い出した。国語の教師は、目の涼しい色白の美人で、生徒たちに憧れられていた。

「どんな男性が好きかといわれたら、わたしはちゅうちょなく、松尾芭蕉のような男性というでしょうね。芭蕉の秀れた感性に憧れるというより、彼の孤独に徹した男の強さに惹かれます」

歯切れのよい口調で、女教師はそういった。それ以来、妙に芭蕉は胸に残る人物になった。遠い昔の男性としてではなく、生身の体を持った、生命の脈打つ男性として感じられるのだ。その芭蕉を、市次郎が研究していることを知ると市次郎に芭蕉の影像がダブって浮かんでくる。もの静かな、孤独な市次郎は、芭蕉を研究するにふさわしい人物に思われた。

弘子は、机の上のメモ用紙に、芭蕉という字を書き散らしていた。と、受付の前に立った人影があった。はっと顔を上げると、

「やあ、こんにちは。ぼくを覚えていますか」

と、志村芳之が立っていた。

「はあ、存じております。しばらくでございました」

微笑したが、弘子はいささか困惑した。市次郎がやがて、録画を終えて出てくる頃なのだ。市次郎と夕食を共にする約束をした弘子は、自分でも気づかぬうちに、その時を楽しみに待っていたのだ。それは、今野と食事をするのとは、また全くちがった楽しみであった。一度だけ喫茶店で話し合っただけなのに、弘子は市次郎に対して、一種特別な感情を抱くようになった。それは、紀美子を失った市次郎への深い同情からであり、紀美子を死なしめた栄介の妹としての、深い責任感に発している心情であった。

「覚えていてくれましたか。それは光栄ですね。ところで、西井の叔父が来てるでしょう。今日五時に録画が終るといってましたから」

志村は黒い皮バンドの腕時計を、いくらか目に近づけるように見た。

「はあ」

少しとまどって返事をする弘子に、

「ああ、あなたは叔父のことをよく知らないかな」

と、受付の台によりかかり、人のいい微笑を向けた。

「いいえ。存じあげております」

弘子はあわてて答えた。

「まだ終りませんね」

「はい、まだスタジオにいらっしゃいます」

「それで安心した。ぼく、今日ひまでしてね。それで、叔父に夕食をおごらせようという魂胆で、待ち伏せすることにしたんです。いかがです？　あなたもご一緒しませんか」

「まあ、わたしなんか……」

「いいじゃありませんか。今野も誘ってはいかがです？　今野もいるんでしょう？」

「はあ」

「すみません。ちょっと奴を呼んでください」

今野には、市次郎と夕食を共にすることを話してある。仕方なく、弘子は製作課にダイヤルを廻し、今野を呼んだ。

「志村様がご面会にいらっしゃっておりますが」

「ほう、志村ですか。君、困ってるでしょう」

「いいえ、そんなことはございません」

「ちょっと五分ほど待つようにいってくれないかな。今、片づける書類が少しあるからって」

「は、かしこまりました」

受話器をおろして、

「あの、恐れ入りますが、ちょっと手を離せない仕事がございますので、五分ほどお待ちいただきたいということでございます。それまで、そちらの椅子でお待ちくださいませ」

「つれないことをおっしゃいますな。ぼくは、五分もぼんやり椅子で待っているほど、気の長い男じゃありませんよ。いいでしょう、ここでおしゃべりしていても」

志村は気持のよい微笑を見せた。

「どうぞ、どうぞ」

「君は音楽が好きですか」

「ええ、聞くことだけは」

「クラシックですね」

「クラシックは勿論好きですけれど、それだけじゃありませんわ」

「ゴーゴーは嫌いでしょう」

「いいえ。わたしって、公約数的な女性ですから」

「真木さん、いけないいよ。君は人をそらさぬ返事ばかりする。それは、いってみれば……ええと」

「受付嬢的応対法であるって、おっしゃりたいんでしょう?」

「なるほど、ドンピシャ!」

志村は明るい声をあげて笑った。のど仏が大きく動いた。ふっと弘子は視線をそらした。大きなのど仏は、ひどく男を感じさせるのだ。

「君には恋人がいる?」

「ご想像におまかせします」

弘子はちょっと澄まして見せた。

「じゃ、ぼくの想像でいうと、五人の恋人がいるということになる。それでもかまいませんか」

「はあ、かまいません」

弘子はふしぎな気がした。志村芳之は、西井紀美子の従兄ではないか。なぜ、栄介の妹である自分に、こんなに親し気に話しかけるのだろう。いや、ふしぎといえば、西井市次郎にしても、それ以上にふしぎではないか。愛する娘を死に至らせた栄介を、市次郎が憎くないわけはない。とすれば、その妹の自分をも憎いはずではないか。治のように、憎しみの言葉を投げつけてくるほうが、自然に思われる。栄介の悪口でもあからさまにいわれたほうが、いっそのこと気が楽なような思いがする。

「その五人の中に、ぼくは入っていない」

「その通りです」

「はっきりいわれましたね」

「受付嬢的返答にしますと、入っているかも知れませんとなりますけれど……」

「やられました!」

愉快そうに志村は声を上げた。

「やあ、来た来た。五人のうちの一人がきましたよ」

近づいてくる今野を見ながら、志村はニヤニヤした。弘子は思わず顔をあからめた。

「よう、志村元気か」

「ああ元気だよ。正月以来はじめてだな」

「いや、俺のほうでは、この間、電車の窓から見かけたよ」

「とにかく、こっちのほうからいうと、一別以来だ。今も真木さんを誘ってたんだけれどね、叔父が局に来てるんだ」

「ああ、古典の旅でね」

「何だ、知ってるのか。それでさ、叔父は薄謝をもらうだろう？　どうせ薄謝だからタカが知れてるとは思うがね」

「で、夕食でもタカろうっていうんだろう。いい若い者が、只酒飲もうとは、さもしい根性だ。飲むなら、俺がおごってやろう。叔父さんの薄謝なんぞねらうなよ。もっとも、うちは薄謝じゃないがね」

今野は弘子をかえりみながらいった。

「おいおい、この人の前だと思って、カッコのいいことをいい給うな。実は、この人も誘って叔父に紹介したいんだ」

「何のために」

「そうだ。その何のためにが、俺にもわからん。やみくもに、この人を叔父に紹介したいんだ」

「それもあるが、君もこの人と一緒に食事したいんだろう」

「まあ、それもある」

「俺はいてもいなくてもいいというところだね」

「そうひがむな」

志村が今野の肩を叩いた時、やや上気した顔をハンケチで拭きながら、西井市次郎が近づいてきた。


小さな床の間には、造花の菊が活けられ、もう幾年も取りかえたことのないような、くすんだ掛軸がかかっている。虎が月に向って吠えている墨絵である。その床を背に西井市次郎がすわり、向いが今野、右手に志村、左手に弘子がすわった。

「あまりきれいな店じゃないけど、味はいいんです」

この店に案内してきた志村がいった。

「味のいい店というのは、往々にして狭かったり、きたなかったりするものですね」

市次郎が今野と弘子を等分に見ていった。

「まるで、味さえよければいいだろうと、開きなおっているような店がありますね」

今野はおしぼりで手をふきながら、相づちを打った。結局、志村のペースに乗せられて、薄野の一劃にある中華料理店にきたのだ。丹塗りの、ところどころはげた丸テーブルの上に、ら油、洋ガラシ、醤油、酢などの小ビンが、無雑作にひとかたまりに置かれてある。

「お疲れになりましたでしょう、小父さま。スタジオはライトが熱いでしょうから」

改めて弘子は、市次郎をねぎらった。

「いや、自分の好きなことを話しているだけですからね」

「あれは二十分番組でしたか、西井先生」

「いや、十五分です。十五分ずつ四日です」

「やあ、四回分とりだめですか。それは酷使してすみません」

ビールと料理が運ばれてきた。くらげときゅうりの酢のものを、うすく切られたピンクのハムが取りまいている。

志村が先ず今野のグラスにビールを注ごうとした。

「志村、西井先生が先だよ。わがＨＫＳ局の大事なお客さまだ」

「いや、叔父は本日のホストだよ」

今野、弘子、市次郎の順にビールを注ぎ、最後に自分のグラスに注いだ。

「今日はどうも」

グラスを上げてから、今野は、

「どうも妙な具合ですよ、ごちそうになるなんて」

と笑った。

「いいよ、いいよ。叔父さんは四回分の出演料をもらったんでしょう」

志村は快活だった。

「小父さま、どうして芭蕉がお好きになったの」

「さあ、何となく肌が合うのでしょうかねえ」

市次郎は弘子の問いにちょっとてれたように笑った。

「ぼくはね、叔父さん。俳句と短歌の区別がつかない無風流な男ですからね。芭蕉のことも、よくわからないんですがね。一体、彼は何でオマンマを食っていたんですかね」

「俳句で食べていたよ。弟子の中に金のある町人や武士がいたからね」

「へえ、それは本当ですか。今の世だって、俳句だけで食べている俳人は何人もいないのになあ。偉いものですね」

感心したように志村はいって、持っていたグラスを置いた。

「おもしろいですね、先生。俳句だけで食べられるというのは、俳句人口がかなり多かったというわけですか」

「少なくはなかったようですね。課題句を募集して、入選した句を刷って配ったようですからね。それで、入選した人から金をもらうという方法もあったようですよ。しかし、芭蕉は、特定の金持の弟子の謝礼で生きていたようですね。豊かではないにしても、俳諧師としての体面は保てる生活だったようです」

「へえー、ぼくはまた、芭蕉なんていうのは、乞食坊主のように暮らしていたのかと思っていたがなあ」

「若い頃は、かなり貧乏もしたようだがね」

弘子は、市次郎のグラスにビールを注ぎながら尋ねた。

「でも小父さま、芭蕉の奥の細道の旅は、とぼとぼと、淋しい貧しい旅だったのでしょう?」

「それがね、どうやらちょっとした大尽旅行でもあったようですよ。時には野宿したり、〈蚤しらみ馬が尿する枕もと〉であったりでもね。地方にも弟子はいたわけですから」

親しみをこめた微笑をみせて、市次郎はいった。

「おもしろいですね、西井先生。三百年も前の日本で、俳諧師が立派に生業として成り立ったというのは、これは大した、文化的な水準の高い世界だったんですね」

「まあそうですね。彼が凜としたといいますか、世に媚びない生き方を生涯通すことができた背景には、そうした文化的な水準の高さもあったということでしょうね」

「だけど、ぼくにはおもしろくないなあ。奥の細道なんていうから、いかにも大変な旅に出たようだと思っていたし……第一、金に困らぬ奴らとばかりつきあっていたというのはいただけないなあ」

志村があごをなでながらいった。

「芭蕉というのは、生っ白い文学青年ではなかったんだよ、芳之。まあ、精神のたくましかった男なのでしょうね。本当の意味の男らしさを、わたしは彼の俳句や生活の中に感じますがね」

「そうですね。ぼくも俳句はよくわからないんですけれど、芭蕉の句には、どこかピシリと打たれるものを感じます。

　　秋遠き隣は何をする人ぞ

とか、

　　此路や行人《ゆくひと》なしに秋の暮（笈日記）

それに、荒海や、佐渡に横たふなんていうのも、幾度見ても、手垢のついていない、しんとしたものがあるんです。彼の句は、人口に膾炙《かいしゃ》されながら、陳腐にならない、いや、ますます新しくさえなって行くような気がするんですが、いかがですか」

今野の顔を眺めながら、弘子はふっと幸せを感じた。

「おっしゃるとおりです。連句のほうは、またちょっとちがった味わいがありますがね。とにかく、彼の魂というか、感覚というか、全く非凡ですよ。彼こそは不世出の天才ですね」

「小父さま、小父さまの好きな芭蕉の句を教えてくださらない」

「わたしの好きなのは多いですけれどね。こんな句を弘子さんはどう思います?

蜘《くも》何と音《ね》をなにと鳴秋の風」

市次郎は手帳に一句を書いて弘子の前にさし出した。

「よくはわかりませんけれど、おもしろいと思いますわ」

「これはね、秋風のいいようもない淋しさの中で、虫がたくさん鳴いているわけですよ。ところが蜘蛛は鳴かないでしょう。この秋風の中で蜘蛛よお前は何と鳴いて耐えるのかといっているんですよ」

「なるほど、何か味わい深い句ですね、先生」

今野は、くり返しくちずさんだ。ふと、その目が弘子と合った。一瞬、二人だけに通ずる感情が流れた。志村が気づいて、鶏のから揚げを一つ自分の皿の上に取った。

「深い句です。禅味のある句といわれています。やはり彼は本当の孤独者だったのでしょう。秀れた人間というのは、孤独ですからね。あまりに秀れた人には、その考え方、感じ方を共にしてくれる人間がめったにいませんからね。

蕣《あさがほ》や是も又我が友ならず
という句があるのですが、これにはいいようもない人生の孤独感が滲み出ていると思いませんか」

弘子は市次郎の言葉に、おのずと紀美子の面影が目に浮かんだ。そして、市次郎も今、紀美子を思っているのではないかと思われた。そう思うと、孤独な芭蕉を愛する市次郎の心境がわかるような気がした。

「ぼくはやはり、

　夏草や兵《つはもの》共がゆめの跡

が好きだな。こういう視点には文句なしに惹かれるな」

志村が、今野のほうを見ていった。

市次郎は芭蕉の生い立ちや、若い頃の話をしたり、連句にふれたりしたあと、ふと思いついたように笑っていった。

「洒落堂という住居の主がですね、〈分別くさき者門内に入るべからず〉と門に書いていたんだそうですがね、芭蕉はその言葉がおもしろいと書いているんですよ。わたしは時々この言葉を思い出すんですが、昔は大変な粋人がいたんですね」

「全くですね。今の世には、そんなことを門に書ける人物はいないでしょうね。〈分別くさき者、門内に入るを禁ず〉か。局の玄関にも貼っておきたい言葉ですよ、これは」

と今野も喜んだ。

市次郎の話を聞きながら、弘子はわが家にはないものを、市次郎に感じた。

何かひとりごとを呟いて、志村が席を立った。

「どこへ行く」

「ちょっと」

志村はニヤリと笑い、時計を見ながら、取手のあたりのうす汚れた襖をガタピシとあけて、出て行った。

「ディレクターの仕事って、大変でしょうね」

「いや、まだ何もわからないものですから、どのくらい大変かさえわからなくて、困っています」

健康な白い歯を見せる今野を、市次郎はじっとみつめてうなずいていたが、

「今野さん、あなたはいい青年ですね」

と、しみじみといった。クローヨーを皿にとり分けていた今野は、

「ありがとうございます。いい青年でありたいと思います」

と明るく答えた。満足そうに市次郎はうなずいてから、

「弘子さん」

と呼んだ。

「はい」

「はいという返事は気持がいいですね。この頃は、はいというさわやかな声があまり聞かれなくなりましたね。わたしは、返事や挨拶のきちんとできる人間を信頼するほうでしてね。今野さんもそう思いませんか」

「そうですね、わたしたちの仕事は、特に意志をはっきり表明しなければならない仕事ですから。一カメさん（第一カメラ係）いいですか、といって返事がこなければ困りますからね。OKですとはっきりいわれないければ、スタートできないんです」

「ああ、なるほど、そうでしょうね。しかし、本当はどんな仕事もそうしたチームワークが必要ですね。はい、いいえ、ありがとう、すみませんと、すっと言葉の出てくる人はやはり素直ですね。性質がいいようです。家庭もチームワークがうまくいっていないと、困るでしょう。気持のいい返事をする女性を、選ぶべきですよ、今野さん」

「はあ、どうも」

弘子は顔をふせた。

「今野さん、つまりわたしは、弘子さんをあなたにおすすめしているわけです」

市次郎は微笑した。

「ありがとうございます。実は、ぼくたち決っているんです」

頭をかく今野に、

「それはよかった」

と市次郎は笑った。が、その笑いがどこか淋し気であることに、弘子も今野も気づかなかった。

「こう立てつけが……悪くては……」

と、つっかかる襖をあけて、志村が戻って来た。

「遅かったね、どこへ行ってきた?」

志村がニヤニヤして、早速ビールに口をつけた。

「志村、実はね、今、先生に白状したんだが……」

「白状? ははん」

志村は今野から弘子に視線を移し、

「実はぼくが吹きこんでおいたんだよ」

「何を?」

「何をって、君がこの人に、ほれてることをさ」

「おかげで、プロポーズはすませた」

「そうか、おめでとう。あとは時間の問題だね」

少女が揚巻の皿をおいて行った。

「なるほど、どれもうまい」

こんがりと、きつね色に焼けた熱い揚巻をからし醤油につけて、志村は口に入れた。と、その時、廊下に男の声がした。

「入ります」

ぎくりとしたように、市次郎は志村を見た。志村は、

「待ってたぞ」

と、うしろをふりむいた。

入ってきたのは、白いタートルネックのセーターに、茶色の背広を着た西井治だった。はっと顔を上げた弘子を、治も驚いて凝視した。が、次の瞬間、

「芳之君、ぼくは失敬する」

というなり、治は部屋を出た。今野に目礼さえしなかった。

「おい、治君待てよ」

あわてて志村が、治を追って廊下に出た。

「これはどうも失礼しました。あれは息子の治なのですが……」

市次郎は申し訳なさそうにいった。

「いや、無理もありません。ご事情はわたしも伺っています」

「しかし、弘子さんには何の罪もないわけですからね。治も失敬な奴だ」

じっとうつむいていた弘子が顔を上げた。

「いいえ、小父さま。治さんのお気持が当然ですわ。本当に兄がわるいんですもの。兄の悪さがどれほどか、小父さまはご想像もできないと思います」

「いや、むしろあなたも被害者の立場ですからね。あなたが悪いわけでは決してない。そのぐらいのことが冷静に判断できないようでは、治も社会人とはいえないな」

「いいえ、兄妹ですもの。治さんのお気持が自然なのですわ、小父さま」

「いくら兄妹でも、人格は別ですよ。日本人は神代の昔から、血縁を重んじて、個の人格を尊ばないところがありますね。妙な国だ。兄が殺人しても、弟は気高い人格の持主ということもあり得るんですがね、今野さん」

「そうですね。でも、人情としてはなかなか割り切れないでしょうし……」

「とにかく、わたしは弘子さんを憎くはない。いや、むしろ可愛いとさえ思っていますよ。治は治、わたしはわたしです。弘子さん、大いに仲よくしましょうや」

あたたかい市次郎の言葉に、弘子は涙ぐんでうなずいた。

「やあ、どうもすみません」

志村が帰ってきて、どっかとあぐらをかいた。

「いや、ごくろう。もう少しどうだ」

　市次郎が志村にビールをすすめると、志村はコップをさし出して、

「ぼくは、治君の気持がわかりすぎるほど、わかっているものだから、今日はひとつ、弘子さんのいることは黙って、呼び出そうと思ったんですよ。弘子さんという人を知れば、少しは心も和らぐだろうと思いましてね。そう思って、実は放送局を出る時、電話をしておいたんです。彼はぼくと叔父さんしかいないつもりでやってきた。だからちょっと驚いたんだろうけれど……全く参ったなあ」

　と、ビールを一口飲んだ。

「まあ、仕方がないさ。志村も悪い気でしたことじゃないし」

　今野が慰めた。

「ごめんなさいね、志村さん」

　弘子が頭を下げた。

「あやまるのはこっちですよ、弘子さん。治君だって、必ずしもあなたを憎んでいるんじゃない。彼は、あなたが訪ねてくださった時、邪慳《じゃけん》にしたことで、内心申しわけなく思ってるところもあるんですよ。だから、ぼくは彼をここに呼んだんでね。しかし、やはりぼくという人間は無分別なのかなあ」

えびを箸でつつきながら、志村は残念そうであった。

「いいじゃないか。無分別で。洒落堂を訪れる資格充分だよ」

「なるほど、分別のある者、入るべからずか。じゃ、治君も洒落堂に入れるよ、叔父さん」

大声で志村は笑った。が、弘子にはその笑い声にむなしさを感じた。そして、人間の言葉のむなしさを感じた。ふっと、先ほど、市次郎が手帳に書いて見せてくれた、

蜘何を音をなにと鳴秋の風

の句が思われた。鳴くことを知らぬ蜘蛛が、鳴くことのできる虫たちよりも、鳴いているような気がした。

沈黙もまた、一つの言葉だと思って目をあげると、静かに自分を見守っている今野のまなざしに会った。

点検

点　検

二月も下旬に入ったせいか、晴れた空に春めいた雲が浮かんでいる。

弘子は久しぶりに、のびのびとした気持で、日曜の午後を自分の部屋で過していた。栄介が昨夜から函館に出張したのだ。月曜の朝札幌を発ってよいのだが、栄介は土曜から日曜にかけて、函館の湯の川温泉で遊ぶつもりで出かけたのだ。

栄介がいないということだけで、どんなに家庭の空気がのびのびと解放させられることか。弘子はしみじみとそう思った。栄介との不快な兄妹関係を、一生持ちつづけなければならないのかと思うと、何ともやりきれない気持になる。それはひどく不当なことに思われてならないのだ。

弘子は、今野にいわれていたことを、一日のばしにしていることが気がかりだった。糸川みどりが、果して妊娠しているかどうかということである。父の洋吉にも、まだはっきり話してはいない。みどりの様子を調べるのなら、兄の出張中のほうがよい。そう思うと、弘子は読みかけたスタンダールの「赤と黒」を置いて、部屋を出た。

弘子がドアをあけるのと同時に、不二夫も部屋から顔を出した。

「階下に行くの？」

「いや、ちょっと、弘子に話があるんだ」

「あら！　わたしも不二夫兄さんに話があるのよ」

みどりのことを、父や母に話す前に、不二夫に話してみてもいいと弘子は思った。

「じゃ、わたしの部屋にいらっしゃいよ」

「ああ」

片手をズボンのポケットに突っこんだまま、不二夫はちょっと目を細めて、弘子の部屋に入ってきた。

「コーヒー入れる？」

「いや、何もいらない」

水色のセーターを着た不二夫は、窓ぎわの椅子に腰をおろして、壁に頭を凭せた。

「栄介兄さんがいないと、せいせいするわね」

不二夫は答えずに苦笑した。

「きょうだいなのに、いないほうがせいせいするなんて、いやなことね」

「仕方ないさ」

「この気持をおしすすめると、死んでくれてもかまわないみたいな気がするの。恐ろしいわ、自分が」

不二夫は澄んだ目を弘子に向けた。

「人間って、恐ろしいものだよ、本来」

「そうね、本来恐ろしいものなのね。……ところでお兄さん、お話ってなあに？」

「……やっぱり、兄貴に関することだけれどね」

「どんなこと？」

「糸川みどりって何者だろうと思ってね」

「何者？」

「ああ、ぼくも初めから糸川みどりなる人物に、疑問を感じていたんだがね」

思い切ったように、不二夫は話しはじめた。

「どういうふうに？」

「一番はじめ、夜電話が来ただろう？　妊娠したとかって。ぼくは、何となく、嘘を感じたんだ」

「まあ、あの日に？　不二夫兄さんて直感力が鋭いわね」

「十一月に、あの女の人が死んだばかりだろう。そのせいもあるけれど……。第一、そういう時には手紙を書くと思うんだが、手紙はおやじの所へも、兄貴の所へも来ていない。もっとも、兄貴には職場宛ということもあるだろうし、あるいは手紙は書くなといわれているかも知れない。けれどね、ぼくはどうもひっかかるんだよ。おやじはね、彼女の住所を知っていないんだ。確たる証拠もなくていうのも、どうかとは思うが、何かそこに、証拠を残したくないいような犯罪者の心理を、ぼくは感じたんだけれども……」

「じゃ不二夫兄さんは、糸川みどりという人には、赤ちゃんはいないと思うの」

弘子が椅子から身を乗り出すようにした。

「多分ね。妊娠している妹をつれて、いくらならず者でも、おどしに行くかなあ。妊婦の心身にさわるくらいのことを、知らぬはずもないだろう」

「なるほど」

「多分、糸川みどりというのは偽名だよ。兄と称する人物も、兄じゃないと思うね」

「ひもかしら?」

「いや、ぼくはね、ひもでもないような気がするよ」

「きょうだいでもないし、ひもでもないの?」

いつも無口でほとんど意思表示すらしない不二夫であるだけに、その推測は真実に近いような気がした。

「この間の日曜にね。ぼくは友人に誘われて、ボウリング場に行ったんだ。そしたら、隣りのレーンで遊んでいたのが、たしかあの男だと思うよ。うちへ来た時ちらっと見ただけだけれど、あの顔も声も、ぼくは、はっきりと覚えているんだ。実はね……」

不二夫は話をつづけた。

不二夫が一期上の先輩に誘われて、ボウリングをしていると、隣りのレーンがチェンジして、若い女の子と、黒メガネをかけた男に変った。

「今日は、俺は負けないぜ」

「わたしだって負けないわよ。今日はいくら賭けるの」

「金じゃつまらんな。俺が勝ったら、アサは俺のいうことを聞く、というのはどうだ」

たしか、その声も顔も体つきも、糸川みどりの兄として脅しに来た男だと気づいた不二夫は、さり気なく二人の会話に耳を傾けた。

「いやね、山畑君ったら。この頃、いやに悪のような口をきくじゃない」

「悪だよ、俺は」

「何よ、せいぜいチンピラというところじゃないの。黒メガネなんかかけて、暴力団ぶったって……」

女は含み笑いをして、ボウリングをはじめた。

「まあ、じゃ、糸川という名前ではなさそうね。女の人も、みどりじゃないし」

「うん、女のほうは、うちに来た本人かどうか、わからないけれどね。二人で来た時、ドアの隙から見ただけだし、男のかげでよく見えなかったからね。男のほうが糸川でないことは、たしかだよ」

「そうね、糸川ヤマハタという名前じゃないわね」

不二夫と弘子は、ちょっとおし黙った。床に目を向けたまま、何か考えていた不二夫がいった。

「それにね、彼はどうも暴力団というほどでもなさそうなんだ」

「つまり、糸川みどりの兄でもない男が兄になりすまし、暴力団になりすましたってわけ？」

「そんなところらしいね」

「じゃ栄介兄さんは、糸川みどりという女の子と、その山畑とかいう男の人に、逆にだまされているわけね」

「さあね。その辺のことは、わからないけれど……。弘子は兄貴がだまされたと思うかい？」

「だって……、もし、だまされていないとしたら」

はっとしたように弘子は不二夫を見て、

「それじゃ、栄介兄さんは、あの人たちの正体を知っているというの？」

「いや、それはわからない。あくまで、ぼくの推論だがね。兄貴という人間を、ぼくは小さい時からあまりに知り過ぎていて、かえって、まちがった推測をしているかも知れないけれどね。ぼくには、兄貴という人間は、人をだましても、だまされる人間だとは思えないんだ」

「それじゃ、栄介兄さんは……あの人たちを糸川みどり兄妹に仕立てて、そして……お父さんをゆすろうとしているの？」

「そうは思いたくないがね」

「いやねえ。いやだわ、ひどい人だわ」

弘子は、きっとして、壁の一点を見すえるようにいった。

「いや、そうと決ったことじゃないよ。ただ、ぼくには最初っから、何か嘘の匂いがして、仕方がないんだ」

「でも、不二夫兄さんのいう通りかも知れないわ。そういえば……かわいそうにお父さんったら、息子のさしむけたニセ暴力団とも知らないで……この頃少し痩せたわよ」

うっかり今野の言葉をいいかけて、弘子は途中から言葉を変えた。今野のことはまだ家庭の誰にもいってはいない。早晩告げなければならないとしても、栄介のことまで話し合っているとは、不二夫にも言える段階ではない。

「弘子、これはね、二人だけの話にしておこう」

　果して不二夫は慎重だった。

「じゃ、みすみす三百万円取られてしまうの」

「いや、そうはならないだろう。とにかく、あの女と男の正体を見破ること、兄貴との関係を正確につかむことが先決だよ」

「どうやって調べるの」

「興信所というところもある」

「興信所で調べるの？」

「そういう所もあるということだよ」

「お父さんには何もいわないの。あの女の人は、妊娠していないかも知れないぐらいのことは、話しておいたら？」

「そうだね、その程度は弘子からいっておいてくれてもいいけれど、まあ、ある程度つかむまで急がないほうがいい」

「とにかく、いやねえ。兄のことを調べなければならないなんて……」

　弘子は憂鬱な目を窓に向けた。まだ午後三時だ。ふっと今野に会いたいような気がした。

と、その時、

「弘子、弘子。お客さまだ」

　階段の中ごろで呼ぶ洋吉の声がした。今野かも知れないと、胸がとどろいて、弘子は大きな声で洋吉に返事をし、

「お客さまですって。不二夫兄さんもいらっしゃらない？　紹介したいわ」

　と、鏡台の前にすわって手早く髪をブラシで整えながら、鏡の中の不二夫を見た。

「お客さんといっても、誰かわからないじゃないか」

「それもそうね。とにかく今のこと、興信所には不二夫兄さんが調査の依頼をしてくださるでしょう？」

「まだ名前もわからないんだから、すぐにはできないよ。いろいろ考えてみよう」

　不二夫は自分の部屋に戻って行った。

　弘子は、セーターの上にベージュ色のカーディガンを羽織って階下に降りた。

「あら」

　何とはなく、今野が来たと思っていた弘子は、居間のソファに、グレイのパンタロン姿の長浜摩理がすわっているのを見て、ちょっと失望した。が、弘子の家の事情を知っている今野が、前ぶれもなくいきなり訪ねてくるはずはないのだ。そう思いながら、

「いらっしゃいませ」

と、弘子は摩理に笑顔を見せた。居間には父母の姿がなかった。

「ごめんなさい。日曜日でいろいろとご予定もおありでしょう。でも、わたし、とっても弘子さんにお会いしたかったのよ」

摩理は、今日は髪をオールバックにし、さわやかな感じだった。

「うれしいわ。今日は何の予定もありませんの」

といってから、弘子は父母が今日四時から、教え子の結婚披露宴に招かれていたことを思い出した。洋吉も勝江も、その仕度で部屋に引っこんでいるのだろう。

「ちょうどよかったわ。父の教え子の婚礼で、わたしと不二夫兄さんと二人っきりで、夕食をしなければならなかったのよ。摩理さんがご一緒に夕食をとってくだされば、うれしいわ」

「まあ、うれしい！　じゃ、わたしもお手伝いしますわ」

摩理は子供のように無邪気に笑った。それはあの夜のしとやかな娘らしさとは、打って変った朗らかさだった。弘子はふしぎな人だと思いながら、摩理の生き生きとした頬に目をやった。

モーニング姿の洋吉と、ダークグリーンの訪問着を着た勝江が、居間に入ってきた。

「せっかくおいでくださったのに、残念ですな。ごゆっくりなさって……。弘子の手料理では何でしょうが、ま、夕食でもお上りくださって……」

洋吉は愛想よくいうと、勝江と共にハイヤーで出て行った。

「戦闘開始！」

二人が出て行くと、摩理は自分の家からエプロンを取ってきて、

「冷蔵庫の中に、牛肉があったわ」

と、やや大きな包みをさし出した。

「あら、こんなに？」

「わたし、怠け者なの、肉は一週間分、冷凍庫に凍らせておくのよ」

しゃぶしゃぶを作ることにして、二人は並んで台所に立った。

「きれいなキッチンねえ」

素直に摩理は讃嘆した。働き者の勝江が、鍋もガスレンジもいつもきれいに磨き上げているのだ。

「母はね、働き者なの。人生が退屈で仕方がないから、働くんですって」

「へえー。でも、その気持わかるわよ。わたしも人生退屈の極みだから、東京をぬけ出したんですもの」

かつお節を削る弘子の傍で、摩理は型も使わずに、包丁で器用に人参を花の形につくり

ながらいった。

「摩理さんは、東京で何をしていらしたの」

「父と母が共稼ぎでしょう。だから、るす番なのよ。おてつだいもいるし、兄夫婦も同じ屋敷にいるんですけれど」

「ごきょうだいは、お兄さんとお二人っきり？」

「そうよ」

「じゃ、弟さんは？」

「弟？　ああ、弟がいるはずだったわね、わたしに」

　摩理はくるりと目をむいて、肩をすぼめた。

「やっぱり、不二夫という弟さんはいなかったのね」

「敏感ね、弘子さん、お気づきになっていたの？」

「いいえ、わたしは鈍いから、摩理さんの弟さんと不二夫兄さんと、名前が偶然の一致かと思っていたのよ。そしたら……」

「そしたら？」

「ある人が、きっと弟さんなんかいないとおっしゃったの」

　今野のことは、まだ秘めておきたかった。

「そのある方は、素敵な方でしょう？　弘子さんの」

「あら」

　削り終ったかつお節を鍋に入れながら、弘子ははにかんだ。が、内心摩理の鋭さに驚いた。

「わたしね、弘子さん。こうやってお料理する時、いつも思うのよ。未来の彼にご馳走するつもりで作ろうとね」

「彼はいらっしゃらないの？」

　コンブの砂をとり、十センチほどに切ったそのコンブを、かつお節を入れた湯に入れて、ガスの火をつけた。

「いないのよ。東京には、すてきな男性がいるはずなのに。でも、今度はおとなりにハンサムが二人もいるんですもの、希望を持たなくてはね」

　茶目っぽく笑いながら、包丁は器用に動く。

「上の兄は駄目よ」

「そうかしら、肩幅が広くって、なかなか男らしいじゃない？」

「本当にそうお思いになる？」

「思いますとも。あなたのお兄さまですもの」

「今夜、兄は函館なの。おあいにくさま」

「不二夫さんも?」

「いいえ、下の兄はいますわ」

「失礼、さっきそう伺ったわね」

「下の兄は、上の兄とは正反対よ」

「ちょっとこわい感じね、不二夫さんって」

「まあ、はじめてよ、下の兄をこわいなんておっしゃる方は。みなさん、やさしい静かな方って、いってくださるわ」

「静かな人って、こわいのよ。じっと、ひとところ動かないところがあるから、静かなんですもの」

　先ほどの不二夫のいったことを思うと、なるほど、こわい人という評も当らなくはないと弘子はうなずいた。

　食事の時間になって、不二夫が階下に降りてきた。摩理の姿を見て、ちょっとおどろいたようだったが、

「いらっしゃい」

　と頭を下げると、いつものようにひっそりと食卓についた。その不二夫を、摩理はいたずらっぽい目で、じっと見つめた。

「すばらしい神戸牛でしょう？　摩理さんからいただいたのよ」

テーブルの中央には、スープの煮立つ鍋がガスコンロの上に置かれ、大皿には肉や、色とりどりの野菜が、美しく並べられている。

黙って食べていた不二夫が、弘子の言葉に、

「それはどうも。ご馳走さまですね」

と、摩理を見てちょっと頭を下げ、再び箸を動かしはじめた。

「どういたしまして。わたしこそご一緒させていただいて、うれしいんです」

「今度は、おみやげなしでいらっしゃらない？」

「ありがとう。わたしって、おっしゃっていただくと、すぐその気になるのよ」

「こちらも、そのつもりですもの、その気になってくださらなければ、困りますわ。ね、不二夫兄さん」

「ああ」

不二夫はやさしい微笑を浮かべて、うなずいた。

「不二夫さんって、本当にお兄さんとは正反対のご性格ね」

「一見見ただけでわかるでしょう、うちの兄たちは」

「ええ。不二夫さんって、はっきりいわせていただければ、サービス精神の全くない方ね」

さらりといって、摩理は肉を煮立っているスープにひたして、タレをからませた。ポン酢、にんにく醤油、しょうが醤油などのタレが、めいめいの前に置かれてある。

「あら、そうかしら?」

おどろいたように弘子は摩理と不二夫を交互に見た。

「そうかも知れません」

不二夫はすなおに肯定した。

「そうかもではありませんわ。そうなのよ」

少しきめつけるように摩理はいったが、目が微笑していた。弘子は今まで、不二夫をサービス精神のない人間だというような視点で、考えたことはなかった。いつも控えめでいながら、人の心の動きには敏感だと思っていた。

「ね、不二夫さん。はじめて伺った夜も、わたしそう思いましたわ。不二夫さんって、人に話しかけられなければ、めったに口をひらかない方でしょう。相手に、何と言葉をかけたらよいかと、いつも気をつかわれていらっしゃるのよ、不二夫さんって」

摩理は手きびしかった。が、口に毒はない。どこかがさわやかなのだ。

「なるほど、そうかも知れません。そんなふうに、人から注意されたことは、今まで一度もないので、そんなに人に気がねをさせているとは、気がつきませんでした。どうもありがとう」

「そんなに素直におっしゃられると、困ってしまうわ。でも、本当よ。無口な人の大半は、サービス精神のないことだけは確かよ。座が白けようが、沸き立とうが、吾関せずですものね」

「それもそうね。わたし、小さい時から、この兄は無口だと思いこんでいるでしょう。だから、それほど苦にはならないのよ。感受性豊かな兄だから、だまっていてもこっちの気持はわかってくれると、安心してたのね」

「その感受性が豊かだということが、曲者なのよ。不二夫さんって、すごく繊細な神経を持っていらっしゃるでしょう？　すぐにこちらの気持を見透すのよ。こわいくらい。見透していて、そのくせ口には出さないから、こちらでは落ちつかないのよ。心の中だけで同情されたり、批判されたりって、かなわないわ。むしろ、何も感じてくださらないほうが、ありがたいわ。ごめんなさい。ごちそうになりながら、こんなことといって……」

「いや、ありがたいですよ。どうぞ、どしどしいってください」

　不二夫は摩理の顔を見ずにいった。

「でも、こんなに何でもぽんぽんいう女って、不二夫さんはお好きじゃないでしょう」

　口の中に肉が入っているせいか、不二夫は微笑したまま答えなかった。その不二夫を摩理はじっと見てから、弘子にいった。

「この間の日曜のこと、栄介さん何かおっしゃってた？」

「この間の日曜？」

「あら、何もおっしゃらない？　わたしね、ボウリング場に誘っていただいたのよ。おかげで半日、とても楽しかったわ」

「ボウリング場に？　まあ、兄ったら不躾ね。お知り合いになったばかりなのに」

「どうしたしまして。わたし、プロボウラーになろうかと思ったことがあるぐらい好きなのよ。栄介さん、すごいすごいって、ほめてくださったのに、あなたには何もおっしゃらなかった？」

「あの兄は、女性に関しては全くの秘密主義なの」

「あら、そう。不二夫さんはボウリングなんておきらいでしょう」

「あまり好きじゃありません」

「なさったことがある？」

「二、三度程度」

「あら、それでもなさったことがあるのね。じゃ、こんどわたしがお誘いするわ。わたしね、その人が嫌いなことを、させてみたいという趣味があるの。悪趣味でしょう」

　不二夫も弘子も苦笑した。

「でもね、この世で苦手なことは少ないほうが楽しいのよ。だから、わたし、その苦手をなくしてさしあげたいの。おせっかいね、わたしって」

「それも一面の真理でしょうね。しかしぼくは、苦手なものがあったほうがいいんです。何でも得意だと、いい気になってしまいますからね。ところで、あなたのお仕事は何ですか」

「仕事？　ごめんなさい、さっき弘子さんに、東京で留守番していたなどと申し上げましたけれど、実は、絵を描いていましたの」

「ああ、画家ですか、あなたは」

「いいえ、恥ずかしくて画家といえるほどじゃありませんけれど」

「それで生活なさっていらっしゃるの？」

「わたしね、絵は下手でも、売ることは上手なのよ」

　華やかに摩理は笑った。なるほど摩理の絵なら、上手でも下手でも人は買うにちがいないと、弘子もうなずいた。

　食事が終ってソファに移り、食後のリンゴを弘子が運んできた時、玄関のブザーが鳴った。

「どなたかしら」

　柱時計を弘子は見上げた。まだ七時前である。

「どうぞ召し上って……」

　リンゴを摩理の前におくと弘子は玄関に出て行った。

　摩理の視線は、まっすぐに目の前の不二夫の上に注がれた。不二夫がさり気なく視線を外らした。と、その時、

「冗談じゃねえや！」

　と男の喚く声が、ふいに玄関にした。反射的に不二夫が椅子から立ち上った。

「いない？　るすだ？　冗談じゃねえよ。ガキの使いじゃあるまいし、はい、さようでと帰れるというのか」

　大きな声が居間までつつぬけである。不二夫はちょっと顔をあからめ、

「失礼、つまらぬ者がきたようです」

　と、摩理にいって、玄関に出た。

「え？　栄介もおやじもいないのか。あの野郎、女に子供を生ませるだけは一人前で……。なに？　二、三日待て？　一体いつまで待たす気だ。三百万そこいらの金がないとは、いわせねえぜ」

　弘子が蒼ざめて居間に帰ってきた。

「ごめんなさい、摩理さん。お恥ずかしいところをお見せして。恐ろしいでしょう？」

　不安そうに、弘子は玄関のほうをふり返った。

「いいえ、ちっとも」

　摩理は子供のようにあどけなく笑った。

「おい、何とかいったら、どうなんだ！」

　不二夫の声は聞えない。

「弘子さん、テープレコーダーない？　そう、なけりゃ仕方ないわ。ああいう連中は、そんなものに弱いんだけどなあ」

　摩理が部屋を見まわした時、再び怒声が聞えた。

「なめてんのか！　この野郎！」

　弘子が肩をびくりとふるわせた。不二夫は黙ったまま突っ立っているのだろう。男がいくらだって何をしでかすかわからない。といって、女の自分が再び出て行ったところで、手に負える相手ではない。

「どうしたっていうの？」

　摩理の問いに弘子は事の次第をかいつまんで話した。

「そんなことなの。弘子さん大丈夫よ。臆病な犬ほど吠えるのよ」

　摩理は笑った。

「いなけりゃいないでいい。とにかく、おやじの帰るまで、待たせてもらおうじゃないか」

男がずかずかと居間に上りこんできた。

「威勢がいいわねえ、坊や」

優雅にパンタロンの足をくんで、ソファにすわっていた摩理が歯切れのよい口調でいった。一瞬、男は度肝をぬかれたように黒メガネ越しに摩理を見たが、

「お前は誰だ！」

と、大声でどなった。

「わたし？　わたしゃ誰でもない先客さ」

切れ長な黒い目に、妖しい光が走った。

「先客？」

「そうさ。お前さんの仲間さ」

「俺の仲間だって？」

いぶかしそうに男は摩理を見た。

「お前さんもやくざだろう？」

「おう、やくざだ」

「わたしもやくざさ。しかしね、お前さんはどうやら本もののやくざじゃ、なさそうだね」

摩理はにやにやした。

「何だとお？　なめたことをいうな！」

　男が声を荒げた。摩理は顔色も変えずに笑って、

「だめよ、坊や。偉いやくざっていうのはね、そんなにバカでかい声は出さないものさ」

　ひどく蠱惑《こわく》的な微笑を見せた摩理に、弘子はふっと恐怖を感じた。男は気をのまれたように電灯の下の摩理を見おろしていたが、落ちつきなく摩理の前に腰をおろした。

「わたしは長浜屋の摩理だよ。知ってるだろう？　知らなきゃ、この道のもぐりだからね」

「ああ、長浜の……」

　口ごもって、とまどいを見せる男に、

「わたしの名前を知ってりゃ、ま、やくざにちがいないわねえ。ところでお前さんの名前は何ていうんだい。どうやら問われて名のるほどの名前の持主じゃなさそうだけれど」

　すっかり身についた伝法な口調だった。

「糸川だ」

　黒メガネをたよりに、男はじろりと上目づかいに摩理を見た。摩理の正体が測りかねるのだ。

「糸川？　聞いたことがないねえ。それはとにかく、今聞いてたら、お前さんの妹だか、赤の他人だかが、栄介に子供をつくられたって。男に子供をつくられるたびに、三百万円い

ただきとは、当り屋よりいいじゃない？　ちょっとお嬢さん、ぼんやりしていないで、この男にもお茶くらい出してやってよ」

呆然と立っている弘子を見て摩理はいった。男は居心地悪そうに立ち上った。

「まあ、すわりなよ。とにかくね、三百万とはアコギじゃない？　本当にこの道で修業したものはね、お前さんのように軽々しく凄みはしないよ。上れともいわぬうちに、上りはしないよ。この部屋には、どこかにテープレコーダーがかくされているようだしさ。下手なことをいうと、ヤバイんじゃない？」

不二夫は傍にすわって、摩理と男をじっと見つめていた。弘子はその不二夫の様子に気づいた。この男が糸川みどりの兄でないことを不二夫は知っているのだ。ボウリング場で、不二夫は既に、この男が山畑という名であることを知っているのだ。そう思うと、弘子は心に余裕ができた。

「もう、こんな時間か。そうだ用事を思い出した」

男は再び立ち上った。

「おや、お早いお帰りだこと。あんたの親分は誰さ。まあ誰でもいいやね。長浜屋の摩理がよろしくいったといっておくれ」

摩理の言葉に、男は渋面をつくったが、それでも弘子と不二夫に向って、

「また来るぜ。おやじと栄介に、もう三日と待てないといっておけ！」

と凄んだ。不二夫が立ち上っていった。

「わかりました、山畑君」

男の顔にさっと驚がくの色が流れた。一瞬口をあけ、何かいおうとしたが言葉にならなかった。そして次の瞬間、二、三歩後ずさりしたかと思うと、身をひるがえすように男は部屋を出た。不二夫はドアを開け、

「アサちゃんによろしく」

と、靴をつっかけるようにして出て行く男の背にいった。男はふり向きもせずに、玄関の戸をバタンと大きく音を立ててしめた。

不二夫と弘子は目を見合わせた。弘子は笑ったが、不二夫は憂鬱そうであった。

「ごめんなさい。出すぎた真似をして」

摩理は子供のようにあどけない笑顔を見せた。たった今までの伝法な摩理の姿はどこにもない。

「いいえ、かえって助けていただいて、ありがとうございました。ね、お兄さん」

「本当に恐縮しました。ぼくはああいうのが苦手でして……。もっともぼくは何でも苦手ですが……」

「そうかしら。どうやら、不二夫さんのほうが、わたしよりずっと上手のようですわ。あの男、不二夫さんの最後の一言に、顔色を変えていましたわね。ヤマハタっていうの？　あの男は」

「そうらしいの、それより摩理さんって度胸があるのねえ。長浜屋の摩理を知っているだろうなんておっしゃって、ほんものの姐御みたい。おどろいたわ」

「だって、父が弁護士をしてるでしょう。いろいろな人が来るのよ。やくざやチンピラなんかも、事件を頼みにきたり、手を引けと凄みにきたり……」

「でも、今の人、初めてでしょう。恐ろしくはないんですか」

「玄関でどなっているのを聞いて、何となくカンでわかったわ。本当のやくざじゃないなって。どこか、一生懸命凄んでたでしょう。それに、わたしってあんまり人ってこわくないのよ」

「偉いのねえ。でも、妙なところをお見せしてお恥ずかしいわ」

「弘子さん、どんな家庭だって、いろいろなことがあるわよ。父の事務所に遊びに行く度に、わたしはよくそう思ったわ。遺産相続や、離婚のもめごとなんか、珍しくない世の中よ」

「でも、兄ってひどい人よ」

「女のひとに赤ちゃんのできたこと？」

　何かを考えながら、タバコをくゆらしている不二夫を摩理は見た。

「それだけじゃないわ。とにかく冷酷なのよ、兄って」

「人間って、本来冷酷なものよ」

「でも、上の兄だけは特別よ」

　今の男も、もしかしたら、兄と共謀しているかも知れないのだ。いや、兄の指図で、父をゆすりに来ているのかも知れないのだ。が、そこまではまだ、確かなことをつかんでいない。糸川だと名乗ったが、それが虚偽であることだけは、先程の一言ではっきりした。もっともこんなことは、とても摩理にいえる話ではなかった。

「特別扱いをするのもどうかしら。本当に悪い奴は、正体など見せないで、世の中で栄えているわ」

　しかし、栄介は紀美子の自殺した事件で、父の洋吉が自分自身の地位や体面の傷つくことを、極度に恐れる姿を見たのだ。しかもその父親の弱みにつけこんで、父を脅そうとしているらしいのだ。

　何も知らぬ父は、脅される度に、金を出すようになるかも知れない。父は警察に届けて、事を公にすることは好まないのだ。万一警察に届けようとするならば、栄介はどんな新たな手段を用いるかわからない。ばれたところで、栄介の身には何の危険もないのだ。何という卑劣な人間だろう。弘子は、考えれば考えるほど、いいようのない憤りを覚えた。

「お邪魔しましたわね」

弘子も、不二夫も黙りこんだ様子を見て、摩理はいった。

「あら、いいのよ。これからゆっくりお話ししましょうよ」

一応は引きとめながらも、弘子は摩理の存在が俄かに重荷に感じられた。摩理に、わが家の恥部をさらけ出したことが、改めてひどく惨めに思われたのである。


函館に出張していた栄介が帰宅したのは、洋吉たちの夕食が終ってから三十分もたった頃だった。

オーバーを着たまま、栄介はみやげものの四角い紙包みをぶら下げて入ってきた。

「はい、おみやげ」

テーブルの上に音を立てて、紙包みを置いた栄介の顔を、洋吉も不二夫も弘子も、驚いて見上げた。どこに出張しても、栄介はみやげものなど買ってきたためしはなかった。

「どなたにいただいたんです?」

勝江だけ驚いたふうもなくいった。

「ああ、函館の支社の奴だ。いかの塩辛とかいっていた」

いい捨てて、栄介は二階に上って行った。

「栄介兄さんが、おみやげを買ってくるはずがないと思ったけど、でもびっくりしたわ」

弘子の言葉に洋吉も不二夫も笑った。

やがて、和服に着更えた栄介が居間に入ってきた。手にはウイスキーの角瓶を持っている。弘子はそれを見ると、立って冷蔵庫から氷をとり出した。

「函館は暖かいだろう」

洋吉が、いつものように機嫌をとるような語調でいった。

「ああ、暖かいですよ。雪なんかひとつもない。函館と札幌じゃ、暖房費がぐっとちがうな」

勝江と弘子が手早く並べた料理を、栄介は一つ一つ点検するように見まわしながら箸をとった。

「何かおいしいものをお上りになった？」

「ああ、やはり、いかの刺身がうまいなあ、函館は」

栄介は機嫌がいい。その栄介の様子に、洋吉はほっとした。隣りに摩理が移って来て以来、栄介の機嫌がいいのだ。摩理ならば弁護士の娘であり、器量もいい。摩理と結婚すれば、栄介も落ちつくにちがいないと、洋吉は心ひそかに願ってもいた。一昨夜、婚礼に出かけようとしているところに、摩理が訪ねてきた。そのことを栄介に告げようと思って、洋吉はやめた。それはあまりに栄介の歓心を買おうとする態度に思われたからだ。

洋吉は、自分たちが婚礼に行ったあと、何が起ったか、まだ弘子からも不二夫からも聞かされていなかった。それは不二夫と弘子に、意図するところがあったからだった。

「函館の夜景は、日本三大夜景の一つだそうだね」

「ぼくは、花より団子のほうですからね。夜景は見に行かなかった」

その時、何を思いだしたのか、食卓の椅子に腰かけていた弘子がくすくすと笑った。

「何だ、何を笑ってるんだ？」

ウイスキーのグラスを持ったまま栄介が弘子を見た。

「あのね、お兄さんのるすに、とってもおもしろいことがあったの。ちょうどお父さんもお母さんもいなかった時なの」

「わたしたちもいなかった時？　弘子、一体何だね」

栄介より先に、洋吉が不審そうにいった。

「あの、ヤクザの男がまた来たのよ」

「なに？　あの男が？　どうして、それを今まで黙っていたのかね」

不安げに洋吉は目をまたたかせた。

「それが何でおもしろいんだ」

栄介の視線が弘子に注がれ、つづいてソファのほうにいる洋吉と不二夫のほうに向けられた。

「おもしろかったのよ、栄介兄さん。ちょうど摩理さんが遊びにいらしているところに、どなりこんできて、この居間までものりこんで来たのよ」

「それはまずい。摩理さんの前でどなったのかね、あの男は」

洋吉はあわてた。摩理に栄介の素行を知られてはならないのだ。栄介も一瞬視線を泳がせ、弘子を詰《なじ》った。

「ばかだな弘子。お前は受付係だろう。手ぎわよく玄関から追いかえせなかったのか」

「おあいにくさま。局には、そんなガラの悪い男は訪ねて来ませんもの。馴れてはいないわ。とにかく、摩理さんてすごい人なの。ヤクザなんか、ちっともこわくないらしいわ。坊や、賑やかだねえ。お前さん、長浜屋の摩理を知ってるだろう。知らなきゃモグリさとかいって、すごく伝法なのよ。本当の姐御みたい。そしたら、あのチンピラはびっくりして……」

「すぐに帰ったのか」

不機嫌に栄介はグラスをおいた。

「そうよ。摩理さんの美しい流し目にも、度肝をぬかれたのよ。ね、不二夫兄さん」

不二夫は、ソファにすわったまま黙って栄介を見ていた。

「それでも、帰る時わたしたちに捨てぜりふをいったわ。また来るから金を用意しておけって。そしたら……」

再び弘子は笑った。

「一々笑うことはないだろう」

「笑うわよ、ね、不二夫兄さん」

不二夫もひっそりと苦笑した。

「不二夫兄さんがね、山畑君！　とあの男の本名を呼んだのよ」

ピクリと栄介の表情が動いた。それをゆっくり味わうように眺めながら、弘子はテーブルに頬杖をついたままいった。

「そしたら、さっとチンピラの顔が変って、あわてふためいて逃げ出したのよ。いいカッコだったわ」

「え？　じゃ、あの男は糸川というんじゃないのかね、山畑という名前なのかね」

驚いて声をあげる洋吉よりも、栄介の顔を弘子は見つめていた。

「そうなのよ。あのおどろいた顔を思い出すとおかしくて……」

「そうか、それは愉快だったな」

ニヤリと栄介は笑って、チーズを口に入れた。

「そうよ。胸がスーッとしたわ」

「じゃ、何かね、糸川というのは、全くのでたらめかね。それを栄介は知らなかったのかね」

洋吉が鼻をこすった。洋吉には、すぐには信じ難いことであった。

「糸川みどりの兄だというから、兄だと思っていましたよ、ぼくも」

平然と栄介はいった。

「じゃ、お兄さんもころりとだまされていたのね」

「…………」

「でも、お兄さんでも、だまされることがあるのかしら」

「弘子、お兄さんでもとは何だ。だまされない人間がこの世にいるかい」

「ふーん。それなら安心だわ。ところでお兄さん。あの二人は兄妹じゃないらしいわね。それに、どうやら、あの女の人は妊娠などしていないらしいわ」

栄介はゆっくりグラスを傾けて、

「だから、どうかわからんと初めからいっておいたろう」

「本当かね、弘子。どうしてそれがわかったのかね」

おどろく洋吉の言葉には答えずに、

「お父さんは、あの女と男に、まんまとだまされていたのねえ」

「じゃ、何も妊娠もしていないのに、脅しに来ていたわけかね」

「そうらしいわ」

「何だ、栄介らしくもないね。栄介、お前もう少しで三百万の金を、まき上げられるところだったじゃないか」

「いやになっちまうな、おやじさんには。だからぼく、最初っからいってたでしょう。妊娠しているかどうか、兄貴の入れ知恵かも知れないって。三百万なんか払う必要がないともいったしさ。それなのに、おやじさん一人で、俺のいうことより、奴らのいうことを信用していたんですからね。ばかばかしい」

人ごとのように、栄介は鼻先で笑った。その栄介をじっとみつめていた不二夫の目がかげった。

「じゃ、奴らの正体を、お兄さんはある程度知っていたわけですか」

「知るわけはないだろう」

じろりと不二夫のほうを見、

「ただ、奴らの信用のできないことは、いったはずだ」

「あら、じゃ、なぜお兄さんが直接話し合わなかったのよ。お兄さんは逃げていたでしょう？初めから」

「暴力団というのは苦手だからな」

「苦手だから、お父さんに任せておいたの？　それとも……」

「それとも？　弘子、一体何をいいたいんだ。俺はとにかくあんな奴らには会わんよ。おやじさんにだって、すぐに一一〇番に電話したらいいって、いっておいたじゃないか」

「とにかく、もう、あの人たち、この家には来れないわね」

「ああ、来ないでほしいものだな。しかし、あいつらのすることは、わからないからな。ところで不二夫、お前、奴の本名をどこで知ったんだい」

「街です。あの男が女を呼んでいたんです」

「街で？」

栄介は、ちょっと心当りを探すようなまなざしになった。が、ボウリング場で会ったことは、不二夫は告げなかった。

「そうか。それで名前がわかったわけか。それはまあよかった」

どことなく、栄介の顔には安堵の色が流れた。不二夫はその栄介の顔を注意ぶかく見守った。

「しかし栄介、お前は今、一一〇番に電話すればいいといったが、体面というものがあるからね」

洋吉は浮かぬ顔で、しきりに鼻をこすった。

「何、かまいやしませんよ」

「本当ですか。一一〇番しても、お兄さんはかまわないんですか」

飲みかけた湯呑をおいた不二夫が、静かな声で、しかしはっきりといった。ちょっとたじろいだように不二夫を見てから、栄介は不敵な微笑を浮かべた。

「かまうわけはないじゃないか、不二夫」

「そうですか」

洋吉は栄介たちの会話を聞きながら、その三人の心の底に流れるものには気づかなかった。

糸川兄妹と称する二人が学校に現われて以来、洋吉は時折、教頭に尋ねられるのだ。

「校長先生、あの暴力団と教え子の件は、その後どうなりました?」

親切で聞くのだろうとは思いながらも、そのまなざしに、うかがうものを感じて洋吉は憂鬱だった。善意か悪意か、相手の心をはかりかねる自分の心情も侘しかった。その上、あれ以来、教師たちが何か自分を軽蔑しているように思えてならないことがある。あの日、あの男の怒声がつつぬけに隣りの職員室に聞えたのではないかと、不安でならないこともあった。

そうした妙に重苦しい毎日の中で、いつまた現われるかも知れぬという脅えもあった。といって、四、五千万の金はあっても、三百万の金をポンと手渡す気にもなれない。洋吉は、金を渡さねばならない立場に立たされて、おどおどとためらっている夢を幾度か見た。

だが、摩理の出現で、洋吉は思い切って三百万を糸川兄妹に渡そうと思う気持にかたまりつつあった。

栄介が摩理を一目見て、心を動かしている様子は明らかだった。この辺で栄介が身を固めてくれるなら、願ってもない幸いである。しかも摩理のような女性を嫁にもらえるとしたら、三百万のもとでが返ってくるようなものだ。

そんなところに、再びあの男がのりこんで来、事もあろうに、摩理に栄介の恥を知られてしまったのだ。今の弘子の話では、男はどうやら脅迫に失敗し、確かに二度と現われることはないかも知れない。それは大きな喜びだが、摩理を失ってしまうのが、何とも残念であった。

(何とか、うまくいいつくろう術はないものか)

洋吉は、一つの解決を喜びながらも、次のことに頭を悩ましはじめた。

摩理のほうにどんな事情があるか、摩理自身はどんな気持を持っているか、それらは充分考えながらも、洋吉は、栄介のような息子を扱えるのは、摩理以外にないような気がしていた。それは青年の一途さとわがままに似ていた。

何となく話は途絶えていた。栄介はゆっくりとウイスキーを飲んでいたし、不二夫はいつものようにソファの片隅に黙念とすわっており、弘子は怒ったような顔で、食卓の上に指で何かを書いていた。

勝江だけが老眼鏡をかけて、夕刊をいつものように読んでいた。何がこの茶の間で話されても、勝江はうろたえはしない。そのふしぎな強靱さは、洋吉には一種無気味でもあった。何ごとにも無関心に見える勝江が、新聞を読むこともふしぎなのだ。

そう思った時、今までテーブルの上に何かを指で書いていた弘子が顔を上げた。

「お兄さん、摩理さんをボウリングに誘ったんですって?」

「誘ったら悪いのか」

「いやね、すぐけんか腰にいうんですもの。誰も悪いなどといってはいないわ。でも、知り合ったばかりで、少し早過ぎると思ったのよ」

「早過ぎやしないよ。あの女、のこのことついてきたからね」

「まあ、のこのことついてきたなんて……お兄さん、摩理さんにいいつけるわよ」

栄介はニヤリと笑って、

「どうせ、あることないこといいつけたのだろう」

「いわなくたって、みどりとかいう女性のことは、あの男が大声でいってしまったわ」

本当に栄介は、みどりとあの男をきょうだいと思っていたのか、本当に栄介の何も知らぬことだったのかと、弘子はさっきから考えていたのだ。もし、あの山畑という男と栄介が共謀しているならば、一昨日の失敗の報告を、栄介は知っているにちがいない。

が、今夜の栄介の様子では、そのことは何も知らないように見える。それとも、そ知らぬふりを通しているのだろうか。栄介とあの男が共謀して父の洋吉を脅かしていると見たのは、過ぎた勘ぐりであったのだろうか。弘子はそう思いながらも心におりの沈んで行く心地だった。

「風呂はわいているか」

洋吉が尋ねた。

「あら、あなた先にお入りになるのですか」

「いや、わたしは最後に入るよ」

一番あとに入るのが健康によいと洋吉は信じている。

「ぼくは湯の川の温泉に三晩泊まったから、今夜は入らないよ」

いつも最初に入る栄介がいった。

「じゃ、お先に」

不二夫がキッチンの向こうの浴室に入って行った。

「どうもあいつは、何を考えているのか、さっぱりわからん奴だ」

眉間にたてじわをよせて、栄介は浴室のほうをじろりと見た。洋吉は聞えぬふりをして、カラーテレビのスイッチを入れた。何かのコマーシャルなのだろう。青い風船につかまって、ゆっくりと空中に舞い上って行くミニスカートの若い女がうつった。

「弘子、不二夫は本当に山畑君なんていったのか」

「どうして？　いいもしないことをいったなどとは、いわないわよ、お兄さん」

「不二夫って、妙な奴だな」

「ちっとも妙じゃないわ」

栄介は何か考える顔になって、鶏と筍の甘煮をつついていたが、

「飯にしよう」

と、茶碗をぐいと差し出した。弘子はふっと、この兄の妻になる女性は、不幸な女性だと思った。

「おい、弘子」

弘子の差し出した茶碗を受けとりながら、珍しく栄介は声をひそめた。

「隣りのあの子は、不二夫に気があるんじゃないのか」

「そんなことはないわ。無論、お兄さんよりは不二夫兄さんのほうが好きかも知れないけれど……」

「本当か?」

栄介は真顔になった。

「お兄さんは傲岸な感じがするわ。もっと、紳士じゃないと……」

「そういっていたのか」

「いっていたわ」

栄介はちょっと考えていたが、

「弘子、今度、隣りに遊びに行ってみようか」

といった。

「わたしはいやよ。お兄さんの共犯者になるのは」

弘子はいい捨てて台所に立った。

点検

文学碑

文学碑

住宅街の商大通りを右に曲ると、もう、いきなり山道だった。日にきらめく雪解け水が側溝を流れ、幼い子供たちが摘んだ花を流したりして遊んでいる。

がたがたの山道を幾曲りか走り、登りつめたところで市次郎、今野、そして弘子は車を降りた。少ししめった赤土、尖った砕石が土と半々かと思われるほどに混っていて、靴の裏にこつこつと当った。

その赤土の小高い一劃に、小樽の港をのぞんで小林多喜二の文学碑があった。部厚い本をひらいて立てたような形の丈高い碑で、右手上方には髪を七三に分けた、やや斜め左を見た多喜二のレリーフがあり、その下に詩が書かれてある。だが、弘子の目を引いたのは、左の頁にあたる真ん中に、生首を据えたような、坊主頭の首から上の大きな像であった。

「何だか、無気味だね」

同じ思いなのか、今野も苦笑しながらいった。まだ、まわりの山々には白い粉をふりまいたような残雪はあったが、芽吹きはじめた白樺の新鮮な青や、ナナカマドのオリーブ色の新芽がやさしい。油なぎのような海の波も、その上に浮かぶ船も、描かれたもののように全く動かず、見ているだけで眠気を催す。カラスが一声ものうく鳴くと、どこかでウグイスも幼く鳴く。

そうしたやさしくのどかな自然の中で、生首を置いたような多喜二の像は、ぐいと心に迫るというより、何か陰惨な感じであった。

「獄死をした多喜二に、ふさわしいのでしょうかね。こうした形が……」

市次郎も同じ思いのようであった。

「俺は獄死したんだぞうというような、押しつけがましさ……といったらいい過ぎかも知れませんが、そんな感じがしますね、先生」

「押しつけねば、わからぬ人間もいる世の中ですからね。時には押しつけも必要なのかも知れませんよ」

「それはそうですね。何といっても、彼は命を賭けて書くべきことを書いた作家だし、あまりに痛ましすぎる最期でしたから……。そうは思っても、この首は美的じゃないな。イデオロギー的ですよ」

「と、反発したくなるところに、この文学碑の特徴もあるのでしょうね」

二人の会話を聞きながら、弘子は多喜二の眉の上にかかっている白い鳥の糞を見た。来る者が皆、手を触れるのだろうか。鼻だけが黒く光っている。今野が頬のあたりを軽く指ではじくと、青銅のやさしい音が響いた。

弘子と今野の結婚は、九月に予定されていた。洋吉から三百万を脅し取ろうとしていた、糸川と自称する男も、山畑という本名を不二夫に呼ばれて以来、パッタリと姿を消した。

山畑が、栄介の指金で洋吉を脅しに来ていたか否かは不明だが、あれ以来三か月、真木家は平穏であった。

栄介も以前より言動をつつしみ特に不二夫に対する態度に変化が起きた。以前の栄介は、不二夫の存在を全く無視していたが、どことなく不二夫をうかがう表情になることがある。それは山畑の件のためか、隣家の摩理の存在が微妙に影響しているのか、確かなことはわからない。いずれにしても、栄介があまり傲岸にふるまわぬことは、真木家にとっては幸いであった。

今野と市次郎も親しくなり、こうして時折市次郎を交えてドライブすることも幾度かあった。今日は小樽の文学碑を三人で廻るつもりで出かけてきたのである。

「……そこでは、人は重っ苦しい空の下を、どれも背を曲げて歩いている」

小樽をうたった多喜二の詩を、弘子は小声で口ずさんだ。

「背をのばして、胸を張って歩いている人間だっていますよ。それは持てる者だけかも知れないが」

今野は冗談をいい、ちょっと笑いかけたが、真顔になって、

「それにしても、大変な死に方でしたね」

と、つぶやくようにいった。

階段のように山にせり上っている街と、多喜二のうたった小樽の街が右手の山腹から海にかけて眺められた。所々に、鯉のぼりが泳いでは垂れるのが見える。明後日は子供の日である。

「治が、気づいているようです」

こげ茶色の稜線の目立つ向いの山を眺めていた市次郎がタバコに火をつけた。向いの少し高い山は、まだ芽吹き前なのだ。

「はあ」

今野が答えた。

「今日、君と出かけるといいますとね、咎めるような顔をしてましたよ」

「治君は、ぼくにはかなり心をひらいてくれているようですが……」

今野は志村を訪ね、治とも接触するようにつとめていた。

数日前も、今野は志村を訪ねた。その時、治は将棋盤を持ち出し、今野と二、三番指した。

「おやじは、将棋をするくらいなら、本を読む方がいいというし、芳之君は全然知らないんですよ」

今野が意外に強いことを知ると、治はぐっと親しみと尊敬の情を見せた。治の将棋は、執拗に食いさがる将棋で、実によく粘る。他の人間なら投げ出すような勝負でも、ぎりぎりの線まで投げない。いつまでもくすぶって、容易に消えることのない闘志がよく反映されている戦い方だった。

今野は、攻め六分の無理のないバランスのとれた指し方をした。その今野に、治は心を開いてくるようだった。

将棋が終ってから、茶をいれてきた治が、ちょっと黙っていたが思い切ったように尋ねた。

「あのね、今野さん。いつかぼく、失敬なことをしたことがありましたね。中華料理店で……」

「ああ、あれはいつでしたかね」

「二月でしたよ。あの時、一緒にいたあの女性は、今野さんの局につとめているそうですね」

「ああ、真木君ね」

今野はさらりといった。

「あのひとは、親しいんですか、今野さんと……」

「ええ、三年ぐらい彼女もつとめていますからね」

「どんな人なんですか」

「いい子ですよ。素直で、感情に起伏が少なくて……」

治は、まばたきもせず今野をみつめてから、

「あの人の兄と、ぼくの妹のこと、ご存じですか」

と尋ねた。

「ちょっと伺っています。彼女も、あの兄貴のことでは、いつも何かと悩まされているようです」

「そうですか。……じゃ、親しいんですね、割合」

「ええ、親しいほうです」

婚約したことを、志村も市次郎も知っている。が、治にはまだ告げていない様子を見ると、今はまだ告げる時期ではないと今野は判断した。

「ぼくは、いま、妹の遺したものを整理しているんですが。あいつはどうして死んだのかと思うと……」

治は唇をかんで、

「口惜しくて……」

と、声を途切らせた。ただ一人の妹を自殺に追いこんだのは栄介なのだ。治のいいがたい悲しみは、今野にも同情ができた。

治を知らぬうちは、弘子に対して、

「目には目をという言葉を知っているか」

などといった男を許し難いと思っていた。が、こうして、内向的だが、妹思いの治を見、男三人だけの寒々とした家庭を見てからは、そう咎めることもできないような気がした。

結局は誰が悪いわけでもない。栄介が悪いのだと今野も思う。人間一人の性格や生き方が、こうも人々の運命に影響するものか。今野は吐息をつく思いで、碑の前に立っていた。

市次郎がいった。

「いや、治は今野君を悪くは思っていないようです。ただ、わたしが弘子さんをかわいがるのが、気にいらないようなんです」

「それは当然ですもの、小父さま」

「いや、治が大人になりきれないいんですよ。栄介君は栄介君、あなたはあなたですよ」

今野もうなずいていった。

「いまに、治君もきっと、そうなるでしょう」

三人は、多喜二の碑から、百メートル程離れた海寄りの展望台に登って行った。幅四、五メートルの坂道を上って行くと、道端の笹がかすかにさやさやと音を立てて、五月の陽に光った。

鉄筋建だが、あずまやほどの小さな展望台に入ると、眼下の松林の斜面に残っている斑雪が、抽象画にも似た形を見せて、ハッとするほど美しかった。

「絵になりますね」

市次郎が目を細めた。市次郎を中に、弘子と今野は立った。松林の斜面から、視線を更に向うにすべらすと、赤、青、緑など、街の屋根がくすんで見える。そして、その街の向うに、水平線の定かでない白いかすんだ空と海があった。

どこからか汽車の汽笛が聞える。

絵になるという市次郎の言葉に、弘子はふと、摩理の蠱惑《こわく》的なまなざしを思い出した。摩理の絵は、霧を透かして見るような輪郭のぼやけた絵であった。それは、うまいのか下手なのか、弘子にはわからない。が、見ていて心地よい絵であった。

「一か月一枚売れれば、まあ食べていけるの」

摩理はいっていた。せいぜい十五号位の大きさの絵しか、今のところ摩理は描いていない。

十日程前、摩理のテーブルに、ぼたん色の分厚い美術年鑑が置かれてあるのを、弘子は

見た。それには、画家の絵の一号の時価が載せてある。頁を繰りながら、

「摩理さんの名前はどこに出ているの?」

と尋ねると、摩理は少年のような笑い声を上げて、

「今までに、そんなことをいってくださったのは、あなた一人よ。どなたも、わたしの絵など値段がないと思うのね。でも、下手でも売れれば、一応はここにのせてくれるのよ」

洋画の部に、一号一万七千円として長浜摩理の名があった。それ以下の人々もたくさんいる。

「まあ、偉いのねえ、摩理さんは」

昭和二十年代の生まれで、年鑑にのっている画家は稀であった。

そんなことを思い出しながら、弘子は摩理に、今日のこの残雪を見せたいと思った。弘子はすっかり摩理が好きになっていた。その時その時で、摩理は別人のように印象がちがう。それでいて、一本芯の通った強さがあった。時には軽薄にさえ見え、時には奇矯でさえありながら、意外で地に足のついた生活をしていた。

摩理の仕事部屋はいつも乱雑だった。絵が無雑作に床に置かれてあり、絵の具箱も絵筆も置場所が一定していない。が、ある時、摩理が押入をあけたのを見て弘子はおどろいた。押入の中は大きな箱で四つ程に区分され、その箱の中に更に、一つ一つきちんと名札のつ

いた箱が積み重ねられ、一目で、何がどこに入っているかがわかった。

「まあ、きちんとしていらっしゃるのね」

と、おどろく弘子に、

「だって、押入の中のものは、毎日使うわけではないでしょう。きちんとしておかないと、しまい忘れるじゃない」

と笑った。なるほど理屈だった。人の目に見えないところに、摩理は努力しているらしかった。若い女性なのに、たった一人で暮らしているだけの強さが摩理には確かにあって、弘子はますます好感を抱いていた。

栄介は、摩理に惹かれている自分をかくさなかった。

「お隣りさんは、ボウリング場や喫茶店になら、誘えばついてくるんだ。しかしドライブとなると、いつもことわられるんだ。妙な女だよ」

栄介はそんなことを弘子にいった。が、不二夫は摩理に対して最初から態度が変らない。摩理に積極的に話しかけることはまずないのだ。

「たしか伊藤整の文学碑もできているはずですよ」

ぼんやりと海を眺めている弘子に、市次郎がいった。

「どこにできたのでしょうか」

「塩谷ですよ」

「ああ塩谷ですか。なるほど。そういえば塩谷は、伊藤整の故郷じゃなかったですか、西井先生」

「ええ、生まれた所じゃありませんが、育ったんですね、あそこで」

「ぜひ行ってみたいわ。わたし、伊藤整の作品が好きなんです」

三人は展望台を出て、ぶらぶらと坂を降りた。手首と足首に青線の入った白いユニフォームの少年が、野球のバットをふりながら登ってきた。ひどく一途なその少年のまなざしに弘子は心がひかれた。バッティング以外に、少年の心はないようであった。

車は再び商大通りに出た。坂道の多い小樽の街は石垣の多い街でもある。羽目板をむき出しにした木造の古い家が、まだあちこちに残っていた。弘子は、その古い家のある小樽の街には詩があると思った。札幌には新しい建物が増えるばかりで、何かつまらなくなったと弘子は思う。

小樽駅の前を過ぎ、車は左折した。時計台のある古びた中学校を左に見て、どれほども走らぬうちに、もう塩谷だった。

潮風にさらされた家々の軒先に、何の魚であろうか。針金に通されて干してあるのが散見された。

国道を外れて、ゴロダの丘と標識のある小道を、車は登って行った。青くうるむエゾエンゴサクの花や、紫がかった薄あかいカタクリの花が道べに咲きつづいている。百五十メートルも走ったかと思う所で、車はとまった。

明るく、いかにも平和な塩谷の海を背に、赤茶けた大きな自然石の文学碑が立っていた。傍に何本かの落葉松が立ち並び、古い荷馬車の車輪が枝にぶら下げてあり、その前に馬橇が置かれてあった。

「懐かしいですね、馬橇とは」

文学碑を見るよりも先に市次郎は馬橇の傍らによって行った。

「弘子さんや今野君は知っていますか」

「ぼくは覚えています。シャンシャンと鈴を鳴らして……」

「そうですか。弘子さん、わたしの妻は、石狩から嫁に来たのですがね。この橇に箱をつけた中に、角かくしの花嫁姿ですわって来たのですよ」

「まあ」

「悪い道を馬が走ると、橇は右へ左へ大きく揺れましてね。男どもでも、雪の中へ放り出されるんです」

「花嫁さんもふりおとされたわけですか」

今野も興味深そうに、馬橇に手をふれた。

「花嫁を乗せては静かに走らせたでしょうがね」

市次郎の表情がふとかげった。弘子は文学碑の前に立った。海の捨子という伊藤整の詩が書かれてあった。

「私は浪の音を守唄にして眠る」

「繰り返して語る灰色の年老いた浪」

という言葉が心に残った。この小さな村で、自分を海の捨子と感じた伊藤整の少年の日々を弘子は想像した。

碑の右手は低い崖で、その下の国道をひっきりなしに車が走っている。左手にはぶどう園が連なり、その彼方に、いくつもの岬が重なって海の中に突き出していた。その岬の濃淡が、おだやかな海の中に夢のように美しい。その美しさに見とれながら、弘子の心はうずいた。いま、たしか、市次郎はその妻を石狩の人であったといった。石狩は札幌から二十数キロ西北の、日本海に面したひなびた漁村で、それらはまた石狩川の河口でもあった。たしか西井紀美子の死体は、石狩河口で発見されたはずであった。

とすれば、その母の生まれ育った石狩まで、紀美子は流されて行ったのだ。

それはちょうど、訴えようのない悲しみを、亡き母に聞いてほしかった紀美子の思いのあらわれのように思われて、弘子は胸が痛んだ。

恐らく今、市次郎は紀美子のことを思っているにちがいない。碑の傍らに立って海を見ている市次郎を、いたましい思いで弘子は眺めた。その弘子のまなざしに気づいた今野が、そっと近よってきた。

「何を考えているの」

「ええ……あの、この海も石狩に続いているのだと思っていたの」

「ああ、馬橇に乗った花嫁さんの?」

「あのね、紀美子さんは石狩河口で上ったの」

黙って今野は弘子を見、そしていった。

「君ってやさしいんだなあ」

深い思いのこもったその言葉に、弘子は多くを語らなくても通ずる今野を感じてうれしかった。


ゆっくりと半日、文学碑の傍らで遊んだ後、小樽の街でにぎり鮨を食べ、今野の車に送られて西井市次郎が真駒内のわが家に帰ったのは七時を過ぎていた。

今野は母が待っているからといい、玄関で治に挨拶して、すぐに帰って行った。市村はまだ帰っていない。治一人で食事を済ましたらしく、茶碗や皿が、台所に洗わぬまま置かれてあった。

治はむっつりとして市次郎に口をきこうともしない。神経質に眉間にしわをよせ、治は父の市次郎を見ていた。

「どうした?」

やさしく市次郎は尋ねた。

「どうもしません」

ぶっきら棒に治は答えた。

「機嫌がわるいようだな」

「わるくもなりますよ」

「どうして?」

ネクタイをゆるめながら、市次郎は治の不機嫌の理由は、尋ねるまでもないと思った。

「お父さん、ぼくは今日も一人で夕食を食べたんですよ」

「だから、お前も一緒に行こうと、今野君だって誘ってくれたじゃないか」

はずしたネクタイを、市次郎はまるめてポケットに入れた。

「だってさ、今野君とお父さんと二人で行ったんじゃないでしょう?」

「うむ、真木弘子さんも行ったよ」

「ぼくには、そのお父さんの神経がわからないんだ」

　吐き出すように治はいった。

「そうかね。いや、それはそうだろう」

　まだカーテンを引いていない窓から暗い庭に目をやり、市次郎は静かに花模様の茶色のカーテンをしめると、治の前のソファに腰をおろした。

「一体どういうつもりなんです」

　つっかかるような、治の語調だった。

「別にどういうつもりもないよ。あの子はやさしい子だ。真木栄介には似てないよ」

「やさしいか、どうかが問題じゃないですよ。あの子が真木の妹だということに、お父さんは平気でいられるんですか」

「そんなふうな視点でしか、お前は人を見ることはできないのかね」

「できませんよ、ぼくには。……かわいそうに紀美子は……自殺したんですよ。奴のために。いや、自殺かどうか、それさえ疑わしいというのに……」

　治の顔が歪んだ。

「しかし、弘子くんの罪じゃないよ」

「そんなこと、ぼくはいっちゃいません。紀美子の父親として、真木家の人間を生理的に受けつけられないのが、本当じゃないかって、ぼくはいいたいんですよ」

「あの子は詫びているのだ。その気持を大事にしてあげなくては……」

「えらい人ですよ、お父さんは。大変なヒューマニストだ」

　神経質に、治はコツコツとテーブルを指でつついた。その治を市次郎はじっと見つめていた。

「治、お前の気持はお父さんにも、痛いほどわかるがね。しかし、そうやってあの子を憎んでみたところで、一体何の解決になるというんだね」

「…………」

「何の解決にもならないだろう？　憎んだからといって、紀美子が生きかえるわけじゃないだろう」

「しかしね、お父さん。紀美子を自殺に追いやった奴の家族と、何のためにしげしげとつきあうんです？」

「何のためにといってもね、別にためにするということはないんだが、あの子が非常に申し訳ないという気持を持っているのが、痛々しくてね」

「痛々しい？」

治の唇がひくひくとひきつって、

「冗談じゃない。痛々しいのは、死んだ紀美子ですよ、お父さん。生きている奴なんか……」

「無論、だれよりも紀美子がかわいそうなのは、わたしも同じだよ。わたしは紀美子の父親だからね。悲しむ気持は、お前よりも深いつもりだ」

「そうかなあ」

すこし小馬鹿にした表情を見せて、

「紀美子がかわいそうなら、あんな男の妹と食事をしたり、ドライブする気になれないと思うがなあ」

「治」

静かに、しかしきびしい口調で、市次郎はいった。

「治、わたしはね。お前のように、そんな小さな気持の中に自分を閉じこめておきたくないんだ。悲しいからといって、悲しさの中におぼれたり、憎いからといって、憎しみの中にのめりこんだりしたくはないのだ。わかるかね」

「…………」

「わからないかねえ、治。お前のあの男を許しがたい気持は、わたしの中にも根強く残っているよ。もし、出来得ることなら、社会的にも葬ってもやりたいという気持になったこともあった。しかしね、相手を憎むということは、結局は両刃の剣でね。自分を絶えず傷つけ、苦しめるだけだと、わたしは気づいたんだ」

自分のすわっている椅子を、治は音立てて引いた。

「治、人間はねえ、憎み合っている限り、安らぎは来ないんだよ。あいつが悪い、こいつが悪いと思っていると、眠ることさえ妨げられるよ。あの真木栄介という男は、たしかに冷酷な、いやな奴だ。しかし憎みつづけてみたところで、自分の人生に何のプラスになるのかね」

治は視線を宙においたまま、無言だった。それは、真剣に耳を傾けているようでもあり、自分の思いに捉われているようでもあった。

「何もあの男だって、あんないやな性格に生まれたかったわけじゃあるまい。あのような人間になったのは、なっただけの理由もあるだろう。治はそうは思わないか」

「…………」

「あの男を憎みつづけるのも一生なら、許して生きるのも一生だ。わたしは、一人の男を憎みつづけて生きる道はえらびたくないんだ」

宙を睨んでいた治の視線が、ゆっくりと市次郎の上にもどった。

「どうかね、治。考えなおす気はないかね」

　市次郎は微笑した。

「ありませんね」

　きっぱりと治はいった。市次郎の微笑が消えた。治は、その市次郎を仇でも見るようなまなざしで見つめ、

「ぼくは一生あいつを憎みつづけてやる。死んだ紀美子に代って、憎みつづけてやる。紀美子に代って、復讐してやる。それが、ぼくの生甲斐ですよ」

「それを紀美子が喜ぶと思うのかね」

「思いますよ。紀美子は、もしかしたら、あいつに川につき落されたかも知れないんだ」

「何の証拠もないことをいってはならないよ、治」

「たとえ自殺でも、紀美子を死に追いやったのは事実あいつなんだ。あいつが殺したも同然ですからね、お父さん」

「だから復讐するのかね」

「そうです」

「それでお前は楽しいのか。毎日が明るいか」

「暗くたってかまいはしません。あのままじゃ、いくら何でも紀美子がかわいそうだ」

市次郎は黙ってソファから立ち、キッチンに行って、水をコップに入れて持って来た。水を一口飲んでから、市次郎は髪をかき上げて、

「お前は復讐するために、この世に生まれてきたのかね」

「さあ、何のために生まれてきたのか、そんなことは知りませんよ。別段生まれたいと思って、生まれてきたわけじゃありませんからね。ただ、今のぼくは、あの男をあのまま無事に過させるわけにはいかないと、思っているだけですよ」

「ばかな奴だ」

「ばかで結構です。ぼくは、お父さんより正直なつもりですからね」

「正直？　では、わたしが不正直だとでも、お前はいいたいのかね」

「少なくとも、ぼくにはそう思われてならないんだ」

「何を指して、お前はそういっているのかねえ」

治はふっと鼻先で笑った。

「何を笑っているんだ？　治」

きびしい語調になった市次郎に、治はきっとした目を向け、

「じゃ、お父さんにききますがね、お父さんは、あの男の妹とつきあっているのは、あの女が詫びているのが、本当に痛々しいからですか」

「そうだよ。あの子には罪がないのに、ひどく申し訳ながっているのでね」

「それで、わざわざ食事をしたり、ドライブをしたりしているんですか」

「まあそうだろうね。あの子が、もし、兄のしたことを何とも思っていなければ、わたしには無縁の人間だったろうね」

「………」

「今日も、お前たちの母親が、石狩から雪の中を馬橇で嫁に来た話をしたらね。あの子はひどく心に感じたようで、涙ぐんでね。なぜ涙ぐんだかというと、帰りの車の中で話してくれたのでわかったのだが、紀美子が石狩河口まで流れて行ったのは、お母さんを慕って行ったのではないかというんだよ。あの子は紀美子のことを心から思ってくれている、やさしい娘だとわたしは思うよ」

「しかしね、お父さん。お父さんは必ずしもあの子がやさしいからというだけで、つきあっているわけではないでしょう」

「それはどういうことかね」

治は腕を組んで、上目づかいに市次郎を見た。

「つまりね。お父さんはあの子が、もし、あんなきれいな娘でなければ、かわいがっただろうかということですよ」

「え?」

虚をつかれたが、市次郎は、

「ばかな! きれいも、きたないもないよ」

と笑った。

「そうかなあ。もしあの男の妹が、ひどく無器量だったらさ。お父さんはそう度々連れ立って歩きはしないとぼくは思うな」

「ばかをいいなさい。それは、お前たちの年齢の者の感覚だよ」

一笑に附しながら、内心市次郎はそうかも知れないと思っていた。

弘子が人目に立つほどの美しい娘であり、感じのよい娘だからこそ、自分もまた、そのやさしさを受け入れているのかも知れない。これが、治のいうとおり、不美人であるならば、こんなにも親しくつきあうようになったかどうか、わからないと思う。

「そうかなあ。男の女に対する感情に、年齢の差はないときいたがなあ」

「じゃ、何か。治は、お父さんがあの娘に迷っているとでもいいたいのかね」

「まさか。そうは、ぼくだっていわないよ。しかし、男は女に甘いものだとは思うな」

市次郎が何かいおうとした時、志村芳之が帰って来た。男ばかりの所帯ながら、芳之のいることでこの家はかなり明るくされていた。

「ただいまあ。遅くなってすみません」

志村はどこかでビールでも飲んできたのか、機嫌がよかった。

「お帰り。いま、治にわたしが叱られていたところだよ」

「そりゃ、いいや。社長を叱る社員。客を叱る店員。おやじを叱る息子……。ちょっと待てよ。こう並べても、現代はどうも正反対の感じがしないね。ありふれているよ」

志村は背広を脱いで椅子の背にかけ、

「それはそうと、一体何で叔父さんが叱られているんです?」

と、興味深げに、市次郎と治の顔を見た。

「弘子さんとつきあうのがいかんらしい」

「ああ、それはごもっとも、ごもっとも。仇討のあった頃なら、不倶戴天の敵ですからね」

と芳之が笑った。

「弘子さんが美しい人だから、つきあっているのだろうと、治はいうんだがね」

芳之はちらりと治を見た。治はちょっと赤くなって、

「へえ、そうですか」

「だってさ、おやじさんは、あの娘が無器量なら、見向きもしないだろうと思ってね」

「なるほど、治君のいうとおりだ」

芳之は真顔でうなずいて、

「治君、もしかしたらね、君、本当はあの子が好きなのじゃないか」

と、治を真正面から見た。

「え？　ぼくが？　まさか、冗談じゃない！　あんな男の妹なんか」

吐き出すように治は強く打ち消した。

「そうかな。じゃ、もし、あの男の妹でなければ、どう思う？　なかなかいい子だと思わないかい」

一呼吸おいて、治は答えた。

「ばかばかしい。芳之君、あの女はあいつの妹だよ。ぼくはね、とにかく紀美子がかわいそうなんだ」

「そうか。治君には叔父さんと弘子さんのことが目ざわりなんだね」

「目ざわりというより、おやじの気持がわからないんだ。ぼくなら生理的に受けつけられないのに……」

「それは、君と叔父さんはちがう人間だということさ。君なら受けつけられなくても、叔父さんなら、受けつけられるということもある。君と同じように、叔父さんが感じなければならないわけでもないだろう」

さばさばと芳之はいった。治は黙った。

「芳之君、治はね、紀美子のために、復讐の鬼になるそうだ」

「ほんとうか、治君。悪い冗談をいってはいけないよ。それより、叔父さんが連中と出かける時は、君も一緒に行くんだよ。あの娘はいい子だぜ。今野がいなければ、ぼくだって黙ってはいなかったと思うよ」

「じゃ、やっぱり今野さんと決っていたのか」

治の目の中にちらりと走るかげがあった。

「そうさ。あの人は、やがて真木という家の人ではなくなって、今野のワイフになるわけだ」

「それは……ひどいな」

「ひどい？　何が」

市次郎が聞きとがめた。

「だってそうじゃないか。おれの妹の紀美子は妊娠して捨てられ、自殺したというのに、あの男の妹は幸せにぬくぬくと結婚するなんて、そんなことが許されていいものか」

「ばかなことをいうものじゃないよ、治。紀美子は紀美子、弘子さんは弘子さんだ」

「…………」

「それとも、治は、弘子さんも紀美子のように自殺しなければならぬとでも、考えているのかね」

　むっつり押し黙った治は、つと居間を出て行った。

「困ったものだ」

「まあ、今にまた、治君だって変るでしょう」

　芳之はそういいながら、冷蔵庫の中から甘夏柑を一つ取り出してきた。

「食べませんか」

　ナイフも使わずに、指をぐいとさしこんで皮をむき、その一袋を先ず市次郎に差し出した。

「治君は淋しいんですよ。叔父さんもぼくもいないで、一人でもそもそ食事をとっていたわけですから、何かいってもみたくなるんですよ」

「そうかねえ」

　市次郎には、息子の心のうちを理解しかねた。芳之のいうような単純なものには思えなかった。弘子と今野の関係がはっきりとわかった時、治の表情に微妙なかげりがあった。それは一体何であったろうか。一つのことを思いこむと、簡単には思いきれない執念ぶかい治の性格である。それを知っているだけに市次郎は不安だった。

「小樽はどうでしたか？　今日はいいドライブ日和でしたから、楽しかったでしょう」

「ああ、よかったね。春の海というのは、たしかに眠けをさそうほど、のどかだねえ。多喜二の碑からの眺望もいいが、伊藤整の碑のあたりの、ひなびた海岸の風景も捨てがたいよ」

「ああ積丹のほうに、岬が幾つも重なって見えるでしょう。塩谷からは」

「そう、あの霞のかかった遠景は美しいね。小樽の生鮨も新鮮でうまかったし……」

「それはよかった。少し叔父さんも気ばらしをしてくれないと、心配ですからね」

芳之の言葉に慰められながらも市次郎は、むっつりと自分の部屋に閉じこもってしまった治のことが気がかりでならなかった。

暗い書斎にはいった市次郎は電灯のスイッチをつけた。

窓ぎわの机の上に、大学ノートが五、六冊、重ねて置かれてあるのに市次郎は直ちに気づいた。近づいてみて、市次郎ははっとした。死んだ紀美子の日記のノートだった。

紀美子の死後、ちょっと手にとって読みかけたことがあったが、見るのが苦痛で、紀美子の部屋に置いておいたはずだ。近頃は、治が紀美子の部屋にはいって、少しずつ整理しているようだが、市次郎はまだ、一切手に触れる気にはなれなかった。

たぶん、治がこの机の上に置いたのであろう。なぜ治が、紀美子の日記を自分に見せたくなったのか、市次郎にはわかるような気がした。が、父親である自分の気持を、治は知らないのだと市次郎は思った。

紀美子の死後、志村芳之の編集で、ささやかな追悼文集を出したが、それさえ市次郎は目を通す気になれなかった。家の中に、じっとしているだけで辛いのだ。すっと部屋の戸があいて、紀美子がお茶を持ってきてくれるような気がしたり、台所に立って働いている姿が目に浮かんだり、部屋に一人本でも読んでいそうな錯覚をおぼえたりするのが、市次郎にはたまらない。そのくせ、水から上った時の死顔が絶えず目について離れなかった。

この頃、市次郎は飲み屋によって、一本の銚子を長いことかかって飲んでくることがある。妻も紀美子もいない家に帰るのが辛いからだ。が、治は、弘子とドライブしたり、時折酒を飲んで遅く帰る父親に、不信感を抱いているにちがいない。紀美子のことを、なぜそんなに早く忘れ得るのかと、腹立たしく思っているにちがいない。

(忘られるものなら、忘れたい!)

机の上におおいかぶさるようにもたれながら、市次郎は心の中でつぶやいた。そして、紀美子の日記帳にちらりと目をやり、すぐに視線を外らした。このノートの中で何といっていようと、その紀美子に応えてやる術は何もないのだ。

(生きている間だ)

紀美子の白い横顔を市次郎は思った。自殺したいほどの娘の気持にも気づかなかった自分が、今更のようにいまいましかった。

(死んだ者はいったいどこへ行くのだろう?)

暗い中を、一人とぼとぼ歩いている紀美子の姿が目に浮かぶようだった。

(それとも……死後は何もないのであろうか)

死んで焼かれて、灰になり、煙になり、骨を残して、それで人間は終りなのであろうか。

市次郎には、それがよくわからない。死後の世界を、市次郎は漠然と感じてはいる。肉体は死んでも、魂はやはり死なないように思われてならない。

市次郎にとって、それは必ずしも漠然とした思いとばかりはいえなかった。

市次郎が大学時代の正月、炭礦にいる友人の家に何泊かしたことがあった。友人の家は山の中腹にあって、夜になると、向いの山の坑口に、坑夫たちのヘッドランプの光が、ぞろぞろと吸いこまれて行くのが見えたりしていた。

滞在三日目の夜であった。家人たちは既に寝ていて、友人と、三つ下だというその妹と、市次郎の三人がストーブを囲んで話し合っていた。と、縁側のほうでドシンという音がした。

「何だい?」

「何かしら?」

三人は顔を見合わせたが、何か無気味で誰一人立とうとする者はなかった。障子をへだてた台所では、出しっ放しの水道の水が、音を立てて流れていた。まだ水道の水を落す設備のない時代で、凍結を防ぐために、水は一冬中出しっ放しにしていた。

と、その水が突然プッツリと音を断った。まるで誰かが蛇口を閉じたかのようであった。水道の事業所で元栓をしめたところで、こんなふうにピタリと水はとまらず、ダラダラと次第にとまるはずである。

三人は何となく顔を見合わせていた。次の瞬間、

「電報！」

という声が玄関でした。途端に水道の水がザアーッと音を立てて流れた。電報は市次郎宛のもので、「アツオシス　スグカエレ　チチ」という電文であった。

仲のよかった弟敦夫が、心臓麻痺で死んだ時の、その水道の水や、大きな異様な音を思い出すと、いまだに市次郎は、敦夫の魂が炭礦の友人の家まで飛んできたような気がしてならなかった。

その時以来市次郎は、人間の現在の知恵では証明のできない霊魂の存在を認めるようになった。死んでしまえば、それで何もかもおしまいになるとは、考えられなかった。

（しかし、誰の霊魂も公平に永遠に生きつづけるのだろうか）

紀美子を死に追いやった栄介も、死ねばひとしく霊魂として存続するのだろうか。精一杯真面目に生きた者も、放らつの限りをつくした者も、一切は死によって等しくなるのだろうか。そうであるなら、治のように自ら復讐しようとするのも意義あることになる。

何れにせよ市次郎は、科学で証明できる世界よりも、誰も証明しがたい神秘的な世界に心惹かれた。科学はたかだか、人間の知恵にすぎない。人間の知恵の捉え得る世界には限りがあると思う。

しかも、この地球や宇宙も、決して人間の生み出した世界ではない。この人間の生んだものではない地球上に人間のまだ知り得ない不可思議な、神秘的な現象があるのは当然だと、市次郎は思うのだ。人間が、地球上のすべてを知りつくしたとでもいうように、霊魂の問題、死の問題、その他信じ得ないような神秘的な問題をせせら笑うような、思い上った人間には市次郎はなりたくなかった。

(神はあるはずだ)

市次郎はそうも思うことがある。そして、そう思うことによって、ほっと安心することがある。

もし、この世の最高の知恵ある者が、自分たち人間であったとしたら、何と心もとないことかと市次郎は思う。この地上で、最も偉いものがこの過ちに満ちた人間だとしたら、何と頼りなく侘しいものであろう、と市次郎は思う。

人間は死後どうなるのか。その一事さえ、誰一人その科学によっては証明はできないのだ。そういう貧弱な世界、これが人間の世界だと市次郎は思っている。

といって、信ずべき神を市次郎は持っているわけではない。彼は仏教信者でも、キリスト教信者でも、天理教信者でもない。が、頭から神を否定するほど傲慢ではなかった。

(紀美子、お前はいま、どこにいるのだ?)

市次郎は思い切って、紀美子の日記帳を手にとった。厚い大学ノートの表紙には、ペンで「ひとりごと」と書いてあった。次のノートには「あしあと」三冊目には「あしたのために」とある。どれも、娘らしい思いをこめたノートの題であった。

市次郎は「あしたのために」というノートをひらいた。

『五月三日

憲法記念日。ある女流詩人は、言葉というものに不信感を持っていると書いていた。言葉はセカンドベストであって、ベストではないという詩人はいう。人間が何も語らずに、お互の気持を伝え合えたらと、彼女は思うのだろうか。それとも、自分の思いを人に語らぬほどに、強い人間になりたいと思っているのであろうか。

今日は憲法記念日だけれど、詩人の真似をするならば、憲法はセカンドベストであって、ベストではない。憲法のない世界に、人々が、その愛と清い良心によって平和に生き得るならば、それこそベストであろうに』

手にしたノートが五月三日であるという偶然に、市次郎はおどろいた。去年の五月三日の日記なのだ。去年の今日、紀美子は生きていて、こんなことを書いていたのだ。

市次郎はたまらなくなってノートを閉じた。紀美子がこのノートに手をふれ、聞き、そして書いていたのかと思うと、いいようもなく紀美子がいとしかった。

閉じたノートを、市次郎は再び開いた。

『五月四日

雨が降っています。お母さん。なぜ、雨が降ると、わたしはお母さんのことを思うのでしょうね。お母さん。雨が降ると、わたしは泣きたくなるのです。でも、わたしはお母さんの倍も長生きいたします。生きているって、楽しいことですのに、病気で死んだお母さんがかわいそう。

雨よ、雨よ、静かに降ってください』

詩とも散文ともつかないこの日記の言葉も、市次郎には耐えられなかった。

『生きているって、楽しいことですのに』

市次郎はこの言葉を読み返した。いつの日から、紀美子は生きることが苦しみとなったのか。ページを繰ると、

『五月五日

あの方は激しすぎる。激しすぎる愛。わたしには、もっとひっそりとした愛がふさわし

いと思うのだけれど』

この日、何があったのか。どこで、誰と会ったのか。それは明記されてはいない。「あの方」と書いているのが、あの栄介という男であるのかも知れない。あのような男を「あの方」などと、紀美子は慕っていたのであろうか。そう思うと、市次郎は紀美子があわれでならなかった。

続けて読む気にもなれず、といってノートを閉じる気にもなれない。ノートの上に手を置いたまま、市次郎は唯一度会った栄介の傲岸な表情を思い浮かべた。

「妊娠しているから結婚してくれなんて迫られては、何だかおどされているみたいで……」

そういった時の栄介の、片頬に深いたてじわを見せた冷たい笑いを、市次郎は決して忘れてはいない。あの冷たさと傲岸さが、確かに紀美子を自殺に追いやったのだ。紀美子が、栄介のあのいいようもない冷酷な表情につきあたった時の悲しみと苦痛を、市次郎は新たな憤りをもって思わずにはいられなかった。

治ならずとも、栄介はゆるしがたい男であった。しかし、ゆるしがたいからといって、憎しみを持ちつづけたところで、何の安らぎも生まれないのだ。

市次郎は、先程の治の言葉を思った。

「あの子が、もしあんなにきれいな娘でなければ、お父さんはかわいがっただろうか」

治は弘子に対する市次郎の態度に、厳しい批判の目を持っていた。確かに、他から見れば異常かも知れないと市次郎も思う。が、弘子のやさしい思いやりのある性格に接していると、市次郎は理屈ぬきに何か慰めを感ずるのだ。

弘子を市次郎は寛大に受け入れている。そのことに弘子が慰めを感じているのを、市次郎はよくわかっていた。お互が慰め合う存在である以上、親しさが増していっても、それは不自然ではなかった。

弘子が栄介の妹であることに、市次郎は問題を感じていなかった。いや、栄介の妹であるからこそ、弘子のやさしさは、栄介への憎しみを和らげ、市次郎を慰めることになるのかも知れない。

市次郎は、仲に立つ弘子の辛い立場がよくわかった。それだけに、弘子に対して優しい気持が湧いてくるのだ。この感情が治にはわからないのだ。

(九月か……)

ふっと、市次郎は気落ちのする思いがした。九月には弘子と今野は結婚する。それが、なぜ自分を気落ちさせるのか。市次郎は自分でも気づかぬうちに、弘子を紀美子のように手放しがたい存在と考えているのかも知れない。

どこの父親も、娘の結婚は淋しいものだ。紀美子がまだ七つ八つの時から、市次郎はその花嫁姿を思う度に、憂鬱になったものだった。弘子の結婚を喜べないのも、それに似た気持かも知れないと市次郎は思った。

が、心の底に、自分自身の本当の気持に気づきたくないものがあるのを、市次郎は知っていた。それは一週間ほど前の夢の中にも、現れている。

市次郎は椅子にすわっていた。それは水色の光が漂っているような部屋だった。椅子にすわっている市次郎のうしろから、目かくしをした者があった。

(女の手だな)

市次郎はその手を快く思った。紀美子だと思った。紀美子は死んだはずなのにと思い、妻の手だと気づいた。その手をとって、そっと引きよせると、いつのまにか、自分の胸の中に、やわらかな女の体を抱いていた。市次郎は、むさぼるように、そのやわらかい肩にくちづけをした。

「小父さま」

あえぐように声をあげたのは弘子だった。

夢がさめてからも、市次郎は女のやわらかな体を腕の中に感じていた。五十一歳という年齢は、若くはないとしても、まだ老いてはいない。同期の友人の中には、まだ四十そこそこに見える男も何人かいる。

その時の思いを、今、市次郎は思い返していた。自分の弘子に対する感情の中に、あいまいなもののあるのを、否定することはできなかった。

治はそのことに、いち早く気づいているのだ。

「男は女に甘いものですよ」

先ほどの治の言葉が痛かった。男女の感情は理屈を超えている。憎むべき男の妹だというへだたりもない。

だが、現実には、弘子と今野は結婚するのだ。

「それでいいのだ」

声に出して市次郎はつぶやいた。弘子に対するゆらぎは、夢によってもたらされたのだ。一時的な感情のたゆたいにすぎない。何日かするうちに、あとかたもなく消えてゆくにちがいない。紀美子を失った淋しさが、自分を少し異常にしているのだと市次郎は思いたかった。

開いたままになっている紀美子のノートに目をやった。

『五月六日
庭の芝桜がきれいに咲いた。チューリップも可憐。花は何のために咲くのか。虫の目を惹くために。わたしは何のために粧うのか。あの方のために。十日土曜の夜、ポプラでお会いする約束。何となくこわいような気持。何がこわいのだろう。

あの方の目をじっとみつめていると、渦の中に惹きこまれるような気がする。何とふしぎな魅力を持った方であろう』

市次郎は、七、八、九をとばして十日の日記を読んだ。

『五月十日
男の方はなぜ……なぜあんなことをするのだろう』

ただ一行ポツリと書いてあるだけだった。市次郎の顔に苦痛のいろが走った。

（五月十日か）

去年の五月は、三、四、五と休みがつづき、三日から十一日まで、自分は熊本まで旅行をしたのだ。そういえば、十一日夜帰宅した時、紀美子は、

「お帰りなさい」

といって涙ぐみ、みやげの博多帯を胸に抱きしめたまま、じっと足もとをみつめていたのを記憶している。そんなにも、父親の自分の僅かな旅行が、紀美子を淋しがらせたのかと、満足したことを市次郎は思い出した。

しかしあの涙は、もっと複雑な涙だったのだ。その紀美子の涙を何の涙かと尋ねることもなく、ただ、自分の留守中淋しかったのだと思って自己満足していたことが、いかにも

身勝手な思いやりのないことであったと市次郎は悔やまれた。

「どうした？　涙ぐんだりして」

あの時、そう一言尋ねたならば、紀美子はすべてを語ったかも知れない。そうしたら、後に何もかも自分ひとりの胸におさめて死ぬという事態にもならずにすんだのではないか。

死にたいほどの悲しみを、親の自分にも語らずに死んでいったその心の中を思うと、市次郎はやりきれなかった。

市次郎は淋しかった。この淋しさは、今までがそうであったように、日がたてばたつほど、増すにちがいない。そうした市次郎にとって、弘子の存在はやはり大きかった。弘子は紀美子を思い出させながら、しかし市次郎を慰める存在だった。

今野のことを打ち明けてくれたり、栄介の生き方をすまながったりしながら、弘子は市次郎を慰めてくれるのだ。市次郎の深い淋しさを少しでも紛らせてくれるものは、弘子以外にないような気がする。こんな心情を、息子の治にはわかってもらえないのかも知れない。

そう思いながら、市次郎はつと手をのばし、机の上に飾ってある紀美子と妻の写真を取った。

そして、その額のガラスにそっと息を吹きかけてハンケチで拭った。

文学碑

アトリエ

アトリエ

朝のバス停に、男女の通勤者が五、六人、バスを待って立っている。その中に栄介もいた。

舗道の傍らの庭に、満開のつつじ、赤や黄のチューリップ、まっ白い雪柳などが、いっせいに咲ききそっている。微風に揺れるチューリップに、無感動な視線を投げかけながら、栄介は人さし指と親指ではさんだ短くなったタバコを、ポイと道端に捨てた。

車道を大型トラックやライトバン、タクシーなどが、絶えず走っているが、どうしたわけか栄介の乗るバスはまだ来ない。八時にこの停留所に来る筈が、もう五分を過ぎている。八時半までに会社に行かねばならない。タクシーが、今また目の前を過ぎて行くが、通勤のために身銭を切って乗る気はしない。

いらいらと再び腕時計を見た時、すぐ近くでクラクションが鋭く鳴った。見ると、日の光を弾き返した赤いスポーツカーが、四、五メートル先にとまり、ドアが開いて長浜摩理が手まねきをした。

思わず相好をくずして駆けよった栄介に、

「お乗りにならない?」

と、アルトの声が快かった。

「助かります。ありがとう」

ためらわずに助手台に乗りこむと、摩理は今はずしたらしいサングラスをかけ、ハンドルを持った。その指に大きなオパールが妖しく光っている。

「いい車ですね」

「ありがとう」

摩理はなめらかな頬に微笑を浮かべた。

「運転なさるとは知らなかった。いつ買われたんです?」

「この車? 三年ぐらい経つわよ。二、三日前、父の秘書が東京から乗ってきてくれたの」

「お父さんの秘書? 女性ですか」

「いいえ、男性よ」

「男性ですか。独身でハンサムの?」

「そうよ。独身でハンサムで、頭がきれて、女たらし。誰かさんみたいな……」

「え? 誰かさん?」

「栄介さんも運転なさるんでしょ。この間ドライブに誘ってくださったけど」

「運転は毎日していますよ。会社の仕事で。ぼくも車はほしいんですがね、おやじが反対するんですよ」

「車なんて買う必要はないわ。わたしはそれでも仕事上必要なのよ。山の中でも海辺でも、一人で画題を探しに行ったり、写生をしに行ったり、キャンバスを積みこまなければならないし……。でも、あなたは通勤でしょう。通勤はバスでいいのよ。サラリーマンがみんな車で通勤されては、混雑してかなわないわ」

「しかし、休みには郊外に遊びに行きたいし……」

「女の子を誘って？」

あでやかに摩理は笑った。

「何だか、さっきからいやだなあ。ぼくがどうも、女たらしみたいで……」

「みたいで？　栄介さんらしくないわ。あなたその道の悪党なのでしょう」

「ひどい人だな、あなたは」

「でも、わたし、悪党ってそう嫌いじゃないわ」

「ぼくは悪党じゃありませんよ」

交差点にさしかかった時、信号が黄に変った。

「じゃ、悪党ではないことにして、あなたの会社は北一条でしたわね、たしか」

「ええ、西五丁目です。あなたは朝早くから、どこにおでかけですか」

「わたしは、千歳の飛行場まで、父の秘書を送って行きます」

「じゃ、どこかホテルに？」

「パークホテルに泊っているのよ」

「気になりますね。わざわざ千歳まで送るなんて……」

「ね、栄介さん、不二夫さんなら、気になるなんて決しておっしゃらないわ」

「あなたは不二夫に好意を持っているようですね」

うす紫のパンタロンに同色の上衣がよく似合う。

その見事な胸のふくらみに、栄介の目は何度も吸いよせられていた。

「わたしは不二夫さんにも、栄介さんにも、好意を持っているわ。でも……」

「でも何です？」

「不二夫さんがバス停に立っていても、たぶん車に乗せようとは思わないわ」

口紅を塗らない健康な赤い唇がかすかにほころんだ。

「なぜです？」

「なぜかしら」

じらすように摩理は笑った。左側にとまったダンプカーの高い運転台から、日に焼けた若い男が、二人をニヤニヤと見た。

「不二夫って、何を考えているか、わからない奴ですよ」

「わからないいって、魅力的よ」

「それじゃ……」

信号が青になり、すべるように車は走りはじめた。摩理はまっすぐ前をみつめたまま、巧みにハンドルを切った。その白いのどのあたりに、栄介の目がギラリと光った。

「……不二夫が強敵とは知らなかった」

「朝の会話には、ふさわしくないことをおっしゃる」

「摩理さんって、大人ですね」

「あなたが子供なのよ。せっかちすぎるわ。秘書が気になるとか、不二夫さんが強敵とは知らなかったとか、そんなふうな言葉って、率直で邪気がないように聞えるわね。それで女の人はころりと参るのね。でも、わたしには通用しないわ」

「ひどいなあ。まるで子供扱いだ。じゃ、どんなことがあなたには通用するんです?」

「わたしに聞こうというの。ばかねえ、そんなこと誰が教えるものですか」

車は北一条通りにはいろうとしていた。車がますます増えてきた。

「あなたは、他の女性とはちがいますね」

「みんな、それぞれちがうでしょう」

「いつまで、札幌にいらっしゃるんですか」

「そうね、あきるまで」

「あなたは、あきやすいほうですか」

「あきやすい部分と、執念深い部分があるわ」

「どうも、冷たい人だ」

首をなでて、栄介は苦笑した。

「車に乗せてあげたじゃありませんか。あたたかいでしょう」

「いや、冷たいですよ。ぼくは適当にあしらわれているって感じだな」

「あなただって、女性に冷酷らしいじゃないの。紀美子さんとかいう女のひとの話もいろいろ伺ってるわよ」

「え？　ほんとですか。弘子でしょう。いらないことをいう奴だ」

栄介は苦々しげに舌打ちした。

「ちがうわ。弘子さんからじゃないわ」

「じゃ、不二夫ですか」

「まさか」

「おふくろは、そんなことはいわないだろうし、おやじはなおさら口が固い。変ですねえ、やっぱり弘子ですね」

「ちがうわよ」

「じゃ、誰です？」

「北海新聞の学芸部に、志村さんっていらっしゃるでしょう」

「志村？」

「そうよ。紀美子さんの従兄ですって」

「ああ、あいつか」

「この間、知り合ったのよ。酒井保さんの個展で」

酒井保はユニークな画風の洋画家で、目下、北海新聞の学芸欄に『ヨーロッパ美術の旅』を連載している。

「あの男は志村といいましたか。それじゃ、さんざん悪口をいっていたでしょう」

「そうよ。おもしろかったわ」

「おもしろいとはひどいな」

「でも、人の悪口っておもしろいわよ。この世に二人といない悪党よ、あなたは」

摩理はまたあでやかな笑顔を見せた。

「それじゃ、どんな手をつかっても、だめですね。あなたには」

「そうよ。だからいさぎよく悪党面をしていらっしゃい」

「わかりました。ぼくは悪党だ。おぼえていてください」

栄介も笑うより仕方がなかった。

「せいぜい忘れないように心がけますわ」

「ところで、悪党と二人でドライブする気にはなりませんか」

栄介は、前にもドライブに誘って摩理にことわられているのだ。

「ドライブには、車を持っていない子を誘うものよ」

「じゃ今夜、あなたの家に遊びに行ってもかまいませんか」

「かまいませんわ。夜はほとんど描きませんから」

「一人で伺ってもよろしいですか」

「どうぞ。わたしは男の人は恐ろしくはないの。空手三段ですもの」

「え?　空手三段!?」

車がとまった。栄介の会社の前だった。

「さ、ここでしょう。行ってらっしゃい」

「いや、どうもありがとう」

降り立って手を上げた栄介に、クラクションを鳴らして、摩理の車は走り去った。

「チェッ、悪党か」

栄介は舌打ちして、晴れた五月の空を見上げた。ダークグリーンのビルの上を、白い雲がかくれて行くところであった。


真夏のように暑い午後、土曜日で早く帰った洋吉は、勝江と庭の草を取っていた。働き者の勝江は、なめるように草を取らねば気がすまないのだ。

「何だか、こう、むしりとるのは、かわいそうな気がするね」

二間ほど離れたところにいる勝江に話しかけると、

「何が、かわいそうなんです?」

と、乾いた言葉が返ってきた。

「だって、草だって生命があるんだからね。生きたがっているんだ」

「ばかばかしい。草に命があっても、心はありませんよ」

一本の細い草も残さぬように、器用に抜いて行く勝江の手もとを、洋吉はだまってみつめた。

二、三日前に読んだ教育雑誌の随筆に引用されていたシュバイツァーの言葉を、洋吉は今思い出していた。

〈わたしは、生きようとする生命にとりかこまれた、生きようとする生命である〉

この言葉は、洋吉にはひどく新鮮であった。草も木も、人間も、すべてが生きようとしているのだ。そうした意志が、生命というものなのだ。こんな単純な事実さえ、誰かの言葉によらなければ、はっきりと認識できずに、よくも教育者として勤めてきたものだと洋吉は思う。

シュバイツァーは、すべての生命が生きたがっているのだという事実に感動して、アフリカ医療に挺身した。それだけに、シュバイツァーの言葉には重みがあった。

「しかしね、チューリップだって、タンポポだって、寒い日は花を閉じるじゃないか。そして暖かければ開くだろう」

「それは、心とはちがいますよ」

「しかし、生きたがっていることは、確かじゃないかね」

「だから、どうしようっていうんです？　草はとるなというんですか。茫々に生やしておけというんですか」

「お前には、もののあわれということが、わからないのかね」

いかに庭の手入れが行き届いていても、勝江はどんな気持で庭をきれいにしているのか。洋吉には無気味な思いがした。その時、突然栄介の声がした。

「何をゴチャゴチャいってるんです」

「何だ、お前か。早いじゃないか。もう帰ったのか」

手の土をはらって、洋吉は立ちあがった。

「土曜日ですからね。たまには早く帰りますよ。不二夫はまだでしょう」

「うむ、不二夫も弘子もまだだよ」

「弘子はデートでしょう。不二夫は三時までは仕事だし……。ところで、おやじさん、ぼくに車を買ってくれないかなあ」

折目のピンとついたズボンの足が長い。

「車は必要ない」

「おやじさんには必要なくても、ぼくにはありますよ。いまどき、いい若い者が車も持っていないなんてどうかしてるって、笑われましたよ」

「笑われた？　誰に？」

「となりの女の子にですよ」

栄介はあごで摩理の家を指した。

「摩理さんにかね」

「そうですよ。今朝バスがなかなか来なくて、ちょうど通りがかった彼女の車で、社まで送ってもらったんですがね」

「ほう、よかったじゃないか」

「よくはありませんよ、四人も勤めに行っているのに、一台もないんですかって、鼻先で笑ってましたよ。四人で乗ればバスの定期より安いでしょう。同じ方向ですからね」

栄介はいわれもしないことをいった。

「しかし、車は要らないよ」

「おやじがケチケチだから、買ってくれないんだといってやりましたがね。不二夫だって得意先を廻るのに、銀行の車に乗ってるんだから、あいつだって通勤の車はほしいはずなんだ」

「わたしはごめんだね」

洋吉は鼻をこすった。

部下の教師が生徒をひいたことがあって以来、洋吉は大の車嫌いになっていた。

「買ってくれなければ、月賦で買いますよ」

栄介は不機嫌にいった。

勝江はだまって草をむしっていたが、顔を上げていった。

「栄介、摩理さんがね、七時過ぎに遊びに来てくださいっていってましたよ」

「え?」

栄介はちょっと狼狽した。誰にもいわずに摩理を訪ねるつもりだった。

「遊びに行きたいって、栄介はいってたのでしょう?」

「いやだな。何でもつつぬけか」

「摩理さんは、わたしに何でもいいますよ。車に乗せたことも、車なんて買わないほうがいいといったことも」

「何だ。栄介の話とはちがうね」

平気でうそをつく栄介に、洋吉は渋い顔をした。

「いやな子だな、あの子は」

「悪党だといった話もしてましたよ」

「おしゃべりな女だ」

「利口なんですよ。ガラス張りじゃお前も手が出せないでしょうからね」

抑揚のない声でそういい、勝江は再び草むしりをはじめた。

「利口か」

くるりと洋吉に背を向けたが、再び向きなおって、

「ぼくは車を買いますよ。ぜったいに」

「…………」

「買ったら、ここに車庫をつくりますからね」

　栄介は長い足でぐるりと弧をえがいた。

　そこは新芽の美しいアララギやナナカマドの樹々の中に、見事な淀川つつじ、日高つつじの十株ほどもあるあたりであった。

「だめですよ！」

　珍しく勝江がきびしく一蹴した。

「だめ？　なぜだい？」

「庭をこわして、車庫なんか……いやなことですよ」

　再び抑揚のない語調に返った。むっとした栄介が、

「庭なんて！」

　と声をあげた時、

「また、何を駄々をこねてるの」

　と、近づいて来たのは摩理だった。

「ああ、今朝はどうもありがとうございました」

あわてて栄介は頭をさげた。

「やあ、本当にどうも……」

洋吉も礼をいった。

「どういたしまして。ね、栄介さん。栄介さんの声はよくひびくのよ。塀の向うに誰がいるかわからないのよ。おしゃべりな女だなんておっしゃってるのも、みんな聞えたわ」

「弱ったなあ」

頭をかく栄介に、

「とにかく車をほしがるなんて、まだ子供よ」

と、たしなめる口調になった。栄介はつくづくと摩理を見た。伸びきった肢体。肌理《きめ》のこまかいすべすべとした肌、黒く大きな目、いいようもなく魅惑的な声、その一つ一つが栄介には大きな魅力だった。

「じゃ、車は買いませんよ。しかし何を買ったらいいんです？　大人は」

栄介の機嫌はなおっていた。

「ほんとうの大人は、ほしいものなどなくなって、人にあげたいものが多くなるのよ」

摩理の言葉に、洋吉はなるほどとうなずいた。

「意外と殺風景ですね」

部屋の戸口に立ったまま、栄介は長浜摩理のアトリエをのぞきこんだ。アトリエといっても、十畳の洋間に、絵やキャンバスや壺などが、明るい電灯の下に雑然と置かれているだけである。

「そうよ。女一人の家はロマンチックにちがいないと思っていらしたの？」

摩理の目がくるりと動き、唇に微笑が浮かんだ。

「それはそうですよ。あなたのような美しい人が住んでいると思うと、ひどく華やかに想像しますよ」

「そう。それはありがとう。まあ、おかけなさいな」

木造りのアームチェアを指すと、

「奥の部屋も見せてほしいものですね」

と、栄介は二、三歩近づきながら、次の部屋のほうに視線をやった。

「あら、なぜ？　ここでいいじゃない？」

「でも、あなたの眠る部屋を見たいんですよ」

「栄介さん、家の中にいれてあげただけで、感謝なさい」

わざと高飛車にいう摩理の顔を栄介はニヤニヤと見て腰をおろした。笑うと摩理の唇の両端がきゅっとあがり、口もとに笑くぼが浮かぶ。そのせいか、摩理の言葉は少々きびしくても、栄介には痛くはないのだ。

とにかく、夜、一人で訪問することを許したということは、摩理が自分に好意をもっていると考えてもよいと栄介は思った。

くるぶしをかくすほどの、長い黄色のワンピースが、今夜の摩理を優雅に見せている。摩理はテーブルをへだてて、形のよい指を胸のあたりで組んでいた。

「なぜ一人で札幌なんかにいらしたんです？」

「だって、たいていの若い人は、一生に一度ぐらい一人で暮らしてみたいと考えるじゃない？」

「でも、ご両親が反対なさったでしょう」

「蒸発したり、自殺する娘のざらにある世の中ですもの。一年や二年札幌に離れていてもいいでしょうっていったら、許してくれたわ」

「でも、心配しているでしょう」

「たぶんそれほど心配はしてはいないわ。うちの父と母は、自分たち夫婦さえ仲がよければ、子供は放っておいても、のびのびと真っすぐに育つと信じているの。それも一見識だとわたしは思うわ」

「なるほど、あなたはのびのびと真っすぐに育っている」

ちょっと栄介は笑った。

「何を笑っていらっしゃるの。こんないい娘に育ったら、文句はないでしょう」

「そこへいくと、ぼくの家はどういうことになるのかな」

紅茶をいれに立った摩理の、形のよい腰の線に目を走らせながら、栄介はいった。

「小父さまと小母さまの仲はよろしい？」

「別世界の人間が、別の国の言葉で話し合っているようなものですよ。おやじとおふくろは」

「喧嘩をなさることはないの」

紅茶のカップを二つ、盆の上にのせて摩理は再びテーブルに向った。

「別々の国の言葉で話しているんですからね。喧嘩するほど仲よくはありませんよ。だから、ぼくのきょうだいはみな、おかしいんですよ」

「ご自分をおかしいとお思いになる？」

「おかしくても、三人の中ではぼくがいちばんまともでしょう。不二夫のように、置物みたいにひっそりとしているのは、あれは無気味ですよ」

「そうかしら？」

「あなたは、あいつを男らしい男だと思いますか」

「思いますとも。さ、召上れ」

摩理はうすいレモンを紅茶に浮かべた。

「これにウイスキーをたらすと、おいしいんですがね」

「あなたのおつきあいしてきた女の方たちは、ずい分あなたを甘やかしたようね。わたしは、ウイスキーもビールもさしあげないわ。二人っきりの時には」

「へえ、あなたって、意外と教育ママ的感覚なんだなあ」

「どうして？　女は男の人と二人っきりの時には、お酒など出すものではないわ。本当は女一人の家に男性などいれたりするのもいけないのよ」

「じゃ、なぜいれてくれたのです？」

「どうしてかしら？　きっとあなたが悪党だというので、こちらも気が楽なのかもしれないのね」

「悪党のほうが気が楽ですか」

「それはつきあいやすいわよ。悪党なんか、傷つけても殺してもかまいはしないけれど、純情な男性はそうはいかないわ。絶えず傷つけまいと、気をつかわなければならないんですもの」

栄介は片頬に深いたてじわを見せて、ニヤリと笑った。

「じゃ、ズバリ伺いますがね。あなたは善玉ですか、悪玉ですか」

「あなたのように、幼稚な悪玉ではないわ」

摩理がいたずらっぽいまなざしを栄介に向けた。栄介はその摩理の視線をまぶしそうに見ながら、

「妙な人ですよ、摩理さんって。ぼくは女性に、こんなに気おくれを感じたことはないんだがなあ」

いままでの栄介なら、女の部屋にはいるや否や、いきなり相手を抱きよせることができた。情事に馴れた女は無論のこと、初心の女でも、多少抵抗はしても、結局は栄介の思いどおりになった。栄介にとって、それが女というものであった。そして例外なく女たちは結婚を望んだ。

が、長浜摩理と知り合って以来、三か月を過ぎたというのに、まだ握手もできないのだ。ボウリング場に行っても、お茶をのみに行っても、摩理にはつけこむすきがなかった。

今夜がチャンスだと思ってやってきたが、いきなり殺風景な仕事場に通されては、勝手がちがった。

「あなたには、無論恋人がいるんでしょうね」

「いますわ」

　にっこり笑って摩理はうなずいた。

「妬けますね。今朝東京に帰った秘書氏ですか」

「いいえ」

「ぼくの知らない人ですね」

「名前はご存じのはずよ」

「え？」

「ロダン」

「なあんだ」

「ロダンはすばらしいわ。あの力強さをもっている男が、いまの日本のどこにいて？」

「そうか、あなたは画家だった」

　苦笑して、栄介はタバコをポケットから取り出した。

「そうよ。ロダンに恋をする画家なのよ」

　摩理は声を上げて笑ったかと思うと、さっと立ち上って、ドアをあけ台所のほうに立って行った。

　栄介は軽く舌打ちをした。

(たかが女の子じゃないか)

抱きよせて、あの唇にキスさえすれば、摩理も普通の女になるにちがいない。栄介はタバコの煙を吹きあげた。

「わたしのつくったケーキよ。召上る?」

生クリームを盛り上げたケーキを二つ、盆にのせて摩理は戻ってきた。

「やあ、ケーキですか」

「お好き?」

「いや、苦手です」

「じゃ、召上らない?」

「かんにんしてください」

「ご心配なく。わたし、ちょっと意地悪してみたの。テストをしたのよ」

「テスト?」

「そうよ。大人度のテストよ。男らしさのテストよ。受けて立つのが、大人よ。男なのよ」

「参ったなあ」

「じゃ、夏みかんは?」

「受けて立ちますよ。こうなったらいさぎよく」

さも酸っぱい顔を栄介はした。

「悲愴ねえ。女の子とつきあうつもりなら、もっと嫌いなものを少なくしなくてはいけないわ。食物に好き嫌いのあるのは、わがままな性格だと、心ある女の子は評価しますからね」

「いよいよもって、教育ママ的だ」

そういいながらも、栄介はふしぎに楽しかった。摩理が栄介に、深い親しみを見せているように思われるからだ。

「摩理さん、あなたはさっき、聞き捨てならないことをおっしゃいましたね」

「何かしら?」

「不二夫のことを、男らしいっていわれましたよ」

「あら、どうして? どうしてそれが聞き捨てならない言葉なの?」

「ぼくは、あいつを男らしいとは認めませんよ。いいたいこともいわずに、じっと人のすることをみつめてばかりいる。陰気でいやな奴ですよ。ちっとも男らしくなんかない」

「男らしいってどういうこと? 栄介さん」

「ぼくみたいな人間のことですよ」

「あなたがどんな方かは知らないけれど、わたしは責任感のある人が男だと思うの。自分の言葉に責任をもてる人なの。不二夫さんはご自分の言葉に責任をもてる方よ」

「あなたは不二夫が好きなんですか」

「ちょっと待ってくださいね。栄介さんって、男と女は、好きか否かだけの関係に、せっかちに絞りたがるのね」

「人間関係なんて、結局は好きか嫌いかでしょう」

「尊敬するということもあるわ。好きでも嫌いでもない。利害関係だけのつきあいもあるわ。わたしは不二夫さんを尊敬しているのよ」

「尊敬か」

仕方なさそうに笑って、栄介はようやく、床に置いたり、壁にかけたりしてある摩理の絵に目をやった。

りんごと壺を巧みに配置した絵や、ベージュ色と灰色の街並などがそこにかかっている。

「みんなわたしの絵よ」

「絵を描く時の、あなたの顔を見てみたいなあ」

海の上に、うす紫の雲が広がっている絵に、栄介は目をとめていった。

「たぶん、いまと同じ顔をしてるわ」

「そうかなあ。絵を描く人や小説を書く人の顔って、凄じいって誰かがいっていましたよ」

「それはロダン級の人たちよ。凄じい顔をしているといえるだけの仕事をしている人なんか、そうはいないわ」

「これ、売るんですか」

「そうよ。売らなければ生きていけないんですもの」

「しかし、お父さんが弁護士で、お母さんが銀座に洋装店を持っているわけでしょう？」

「わたしはわたしよ。自分の生活費ぐらいは、自分で働かなくては……」

「しかし、ダイヤの指輪はもらったといってましたよね」

「そうよ。プレゼントはプレゼントよ」

「あとはビタ一文ももらわないというわけですか」

「もらわないわ」

「惜しいなあ」

「何が？」

「ぼくなら、小遣いをたんまりもらって、遊んでいるけどなあって、いうことですよ」

「わたしはとうに成人式を終えた大人よ。子供じゃないのよ」

「この絵をいくらで売るんです？」

「買ってくださる方には、値段を申しますけれど」

「ぼくで買える値段なら、買いますよ」

「わたしは、絵の好きな人でなければ、買っていただかないの。あなたは絵には興味がなさそうよ」

栄介は頭をかいた。アトリエに通されながら、絵にはろくに目もとめていないのだ。

「絵よりも、あなたに関心がありすぎるんですよ」

「絵はわたしから生まれたものよ。わたしの分身だわ」

「なるほど。じゃ、これからは、あなたの分身にも関心を示すことにします。これからじゃ遅いですか」

摩理は黙って栄介の顔を見た。いままでの動きのある表情ではない。ひどく静かなまなざしだ。

「どうしたんです？」

が、摩理は何もいわずに栄介をみつめていた。その摩理の視線を栄介は勘ちがいした。

栄介は立ち上った。栄介の目が妖しく光った。途端に摩理はピシリといった。

「おすわりなさい！」

栄介は興ざめた顔になったが、ふてぶてしく笑って、

「何を怒ってるんです」

と、摩理を見おろした。

「ね、栄介さん。あなたはいったい、いろいろな女性たちと、どんな会話を交してきたの。いまわたしは、そう思ってあなたを眺めていたのよ」

「どんな会話?」

と栄介は腰をおろして、

「男と女に会話なんか不要ですよ。昔の流行歌じゃないけれど、ただ黙って顔を見合わせているだけで充分ですよ」

「本当?」

「本当です。黙って暗い道を肩を並べて歩いたり、そっと手を握ったり、それが男女のはじめの頃の会話でしょう」

「紀美子さんとも?」

「紀美子の話はどうも……」

「わたし、伺いたいの。とても聡明な明るい方だったって、従兄の志村さんがおっしゃってたわ」

「聡明な女が、自殺なんかするものですか」

「あら、そんなことをおっしゃるの。悪党らしくないわ」

摩理は一瞬きびしい表情をしたが、しなやかな指で、椅子の袖をこつこつと叩いた。

「じゃ、悪党らしいセリフは何ですか」

「そうね。あの女もかわいそうなことをしましたよ。あんなに思いつめようとは思わなかったんですが、とか何とか、いかにもかわいそうに思っているような語調でいうのよ」

「それが悪党ですか」

「そうよ。あなたみたいに憎まれ口ばかり叩いているのは、悪党じゃないわ。本当の悪党はね、一見善人風よ。あなたは大悪党じゃないわ。小悪党よ。本当にケチな小悪党よ」

「ひどいな」

「もっと悪党におなりなさい」

「一見善人風か」

女と二人っきりで、差し向いでいながら、こんなにただ話をしていたという経験はなかったような気がした。それでいて、必ずしも退屈しないのが、不思議だった。

「そうよ。一見善人風になるのよ。つまらない風評を買ったりする人は、あれは悪人じゃないわ。みんなに警戒されたら、鈴をつけた猫よ。ねずみが逃げるわ」

「なるほど」

「だから、札つきのならず者とか、プレーボーイっていうのは、あれはまだまだ未熟児よ」

「いいますね、摩理さんも」

「ところで栄介さん、あなた紀美子さんのところに、お花の一本でも持って、行っていらっしゃいよ。善人面をして」

「紀美子のところに？　冗談じゃない。いまさら」

「行って、泣いてお詫びをしていらっしゃい」

「ひどいな。ぼくはそんなに悪党じゃありませんよ」

摩理はニヤニヤして栄介をみつめ、

「やっぱりガキか、栄介くんも。叔母がおとなりに大変な息子がいるっていっていたのよ。だから、喜び勇んでやってきたけれど、期待はずれだったわね」

と、吐き出すようにいった。

「期待はずれか」

「わたしは、徹底的な人が好きなの。生半可な人は嫌いだわ」

摩理は冷たくなった紅茶をひとくち飲んだ。

「ぼくは美しい人が好きだ。ただそれだけですよ」

栄介は再び椅子から立ち上って、ニヤリと笑った。

片頬に描いたような深いしわが刻まれ、凄味を帯びた笑いであった。

〈底本について〉
この本に収録されている作品は、次の出版物を底本にして編集しています。
『残像』集英社文庫　1977年11月30日
（1986年9月25日第26刷）

〈差別的表現について〉
作品本文中に、差別的表現とも受け取れる語句や言い回しが使用されている場合がありますが、著者が故人であることを考慮して、底本に沿った表現にしております。ご了承ください。

この「手から手へ～三浦綾子記念文学館復刊シリーズ」は、〝紙の本で読みたい〟という三浦綾子文学ファンの声に応えるため、絶版や重版未定のまま年月が経過した作品を、三浦綾子記念文学館が編集し、本にしたものです。

〈シリーズ一覧〉

(1) 三浦綾子『果《は》て遠《とお》き丘《おか》』(上・下) 2020年11月20日

(2) 三浦綾子『青《あお》い棘《とげ》』 2020年12月1日

(3) 三浦綾子『嵐《あらし》吹《ふ》く時《とき》も』(上・下) 2021年3月1日

(4) 三浦綾子『帰《かえ》りこぬ風《かぜ》』 2021年3月1日

(5) 三浦綾子『残像《ざんぞう》』（上・下）　２０２１年７月１日

(6) 三浦綾子『石《いし》の森《もり》』　２０２１年７月１日

(7) 三浦綾子『雨《あめ》はあした晴《は》れるだろう』　２０２１年10月１日

(8) 三浦綾子『広《ひろ》き迷路《めいろ》』　２０２１年10月30日

(9) 三浦綾子『積木《つみき》の箱《はこ》』　２０２２年春頃刊行予定

(10) 三浦綾子『裁《さば》きの家《いえ》』　２０２２年春頃刊行予定

ほか、公益財団法人三浦綾子記念文化財団では左記の出版物を刊行しています（刊行予定を含む）。

〈氷点村文庫〉

(1)『おだまき』（第一号第一巻）　２０１６年12月24日　※重版未定

(2)『ストローブ松《まつ》』（第一号第二巻）　２０１６年12月24日　※重版未定

〈記念出版〉

(1)『三浦綾子《みうらあやこ》生誕《せいたん》100年記念《ねんきねん》アルバム(仮)』 2022年4月25日刊行予定

〈特装版〉

(1)『氷点《ひょうてん》・氷点《ひょうてん》を旅《たび》する 合本特装版《がっぽんとくそうばん》』 2022年4月25日刊行予定

〈三浦綾子文学研究シリーズ〉

(1)『三浦綾子文学年譜《みうらあやこぶんがくねんぷ》』　２０２２年４月25日刊行予定

〈横書き・総ルビシリーズ〉

(1)『横書《よこが》き・総《そう》ルビ　氷点《ひょうてん》』　２０２２年夏頃刊行予定

(2)『横書《よこが》き・総《そう》ルビ　塩狩峠《しおかりとうげ》』　２０２２年夏頃刊行予定

(3)『横書《よこが》き・総《そう》ルビ　泥流地帯《でいりゅうちたい》』　２０２２年夏頃刊行予定

(4)『横書《よこが》き・総《そう》ルビ　続泥流地帯《ぞくでいりゅうちたい》』　2022年夏頃刊行予定

(5)『横書《よこが》き・総《そう》ルビ　道《みち》ありき』　2022年夏頃刊行予定

(6)『横書《よこが》き・総《そう》ルビ　細川《ほそかわ》ガラシャ夫人《ふじん》』　2022年夏頃刊行予定

ミリオンセラー作家《さっか》　**三浦《みうら》綾子《あやこ》**

1922年《ねん》北海道《ほっかいどう》旭川《あさひかわ》市《し》生《う》まれ。小学校《しょうがっこう》教師《きょうし》、13年《ねん》にわたる闘病生活《とうびょうせいかつ》、恋人《こいびと》との死別《しべつ》を経《へ》て、1959年《ねん》三浦光世《みうらみつよ》と結婚《けっこん》し、翌々《よくよく》年《ねん》に雑貨店《ざっかてん》を開《ひら》く。

1964年《ねん》小説《しょうせつ》『氷点《ひょうてん》』の入選《にゅうせん》で作家《さっか》デビュー。約《やく》35年《ねん》の作家生活《さっかせいかつ》で84にものぼる単著作品《たんちょさくひん》を生《う》む。人《ひと》の内面《ないめん》に深《ふか》く切《き》り込《こ》みながらそれでいて地域風土《ちいきふうど》に根《ね》ざした情景描写《じょうけいびょうしゃ》を得意《とくい》とし〝春《はる》を待《ま》つ〟北国《きたぐに》の厳《きび》しくも美《うつく》しい自然《しぜん》を謳《うた》い上《あ》げた。1999年《ねん》、77歳《さい》で逝去《せいきょ》。

残像　上

手から手へ ～ 三浦綾子記念文学館復刊シリーズ ⑤

令和三年七月一日　私家版発行
令和三年十月三十日　初版発行

著者　三浦綾子
発行者　田中綾
発行所　公益財団法人三浦綾子記念文化財団
〒〇七〇―八〇〇七
北海道旭川市神楽七条八丁目二番十五号
電話　〇一六六―六九―二六二六
https://www.hyouten.com
価格はカバーに表示してあります。
印刷所　三浦綾子記念文学館
製本所　有限会社砂田製本所

 ISBN 978-4-9912325-1-0